Matemática para o Ensino Fundamental

Caderno de Atividades
9º ano
volume 1

2ª Edição

Manoel Benedito Rodrigues
Carlos Nely C. de Oliveira

Editora Policarpo

São Paulo
2023

Digitação, Diagramação :   Sueli Cardoso dos Santos - suly.santos@gmail.com
Elizabeth Miranda da Silva - elizabeth.ms2015@gmail.com

Dados Internacionais de Catalogação, na Publicação (CIP)

(Câmara Brasileira do Livro, SP, Brasil)

Rodrigues, Manoel Benedito. Oliveira, Carlos Nely C. de.
Matemática / Manoel Benedito Rodrigues. Carlos Nely C. de Oliveira.
- São Paulo: Editora Policarpo, **2ª Ed. - 2023**
ISBN: 978-65-88667-25-5
1. Matemática 2. Ensino fundamental
I. Rodrigues, Manoel Benedito II. Título.

Índices para catálogo sistemático:

site: http://editorapolicarpo.com.br

Todos os direitos reservados à:

EDITORA POLICARPO LTDA

Rua: Dr. Rafael de Barros, 175 – Conj. 01

São Paulo – SP – CEP: 04003 – 041

Tels.: (11) 3288 – 0895 / (11) 3284 – 8916

e – mail: contato@editorapolicarpo.com.br

Índice

I CONJUNTOS..01
   1 – Elemento, pertinência, determinação e representação.............................01
   2 – Conjunto Universo (U)..02
   3 – Subconjunto...02
   4 – Operações com conjuntos..03

II FUNÇÕES..17
   1 – Introdução..17
   2 – Conjuntos numéricos...19
   3 – Intervalos...20
   4 – Plano cartesiano..25
   5 – Funções...32
   6 – Algumas funções elementares..47

III PROPORCIONALIDADE...63
   1 – Grandezas diretamente proporcionais e taxa de variação........................63
   2 – Função afim e taxa de variação...64
   3 – Interpretação gráfica / geométrica...65
   4 – Grandezas inversamente proporcionais..70
   5 – Problemas de Proporcionalidade Direta e Inversa....................................72

IV TEOREMAS DE TALES E DAS BISSETRIZES.......................................89
   1 – Divisão de um segmento em uma razão...89
   2 – Teorema de Tales..90
   3 – Recíproco do Teorema de Tales..92
   4 – Teorema da Bissetriz Interna...92
   5 – Teorema da Bissetriz Externa..93

V SEMELHANÇA DE TRIÂNGULOS...105
   1 – Definição..105
   2 – Teorema Fundamental...105
   3 – Critérios de Semelhança...106

VI POTENCIAÇÃO..121
   1 – Alguns subconjuntos do conjunto dos números reais($\mathbb{R}$)..................121
   2 – Potência...124
   3 – Propriedades...125

I CONJUNTOS

1 – Elemento, pertinência, determinação e representação

Os conceitos de conjunto, elemento e pertinência entre elemento e conjunto são considerados primitivos e são aceitos sem definição.

1) Enumeração dos elementos

Costumamos colocar os elementos de um conjunto entre chaves, separados, por vírgulas (ou ponto e vírgula), e dizemos que, desta forma, o conjunto foi determinado pela **enumeração de seus elementos**. De modo geral nomeamos um conjunto com letras maiúsculas.

Exemplos:

1º) Conjunto A dos números 1, 2, 3 e 4.

A = {1, 2, 3, 4}. Dizemos que:

1 é elemento do conjunto {1, 2, 3, 4} ou que

1 é elemento do conjunto A ou que 1 pertence ao conjunto A.

2 é elemento do conjunto {1, 2, 3, 4} ou que

2 é elemento do conjunto A ou que 2 pertence ao conjunto A.

5 não é elemento do conjunto {1, 2, 3, 4} ou que

5 não é elemento de A ou que 5 não pertence a A.

Usando os símbolos $\in$ (pertence a) e $\notin$ (não pertence a), podemos escrever as sentenças de maneira mais simples.

A = {1, 2, 3, 4} $\Rightarrow$ 1 $\in$ A, 2 $\in$ A, 3 $\in$ A, 4 $\in$ A, 5 $\notin$ A, 7 $\notin$ A, etc.

2º) Conjunto B dos números ímpares que estão entre 2 e 10.

B = {3, 5, 7, 9} $\Rightarrow$ 3 $\in$ B, 5 $\in$ B, 8 $\notin$ B, 13 $\notin$ B.

3º) Conjunto V das vogais do nosso alfabeto.

V = {a, e, i, o, u} $\Rightarrow$ a $\in$ V, e $\in$ V, u $\in$ V, n $\notin$ V, v $\notin$ V.

2) Diagramas

Costumamos também colocar os elementos de um conjunto dentro de uma região delimitada por uma linha fechada. Dizemos que, desta forma, o conjunto foi determinado ou representado através de um diagrama, que quando por um círculo é chamado de Euler ou de Venn. (Euler-Venn)

Exemplos: 1º) Os mesmos do item anterior.

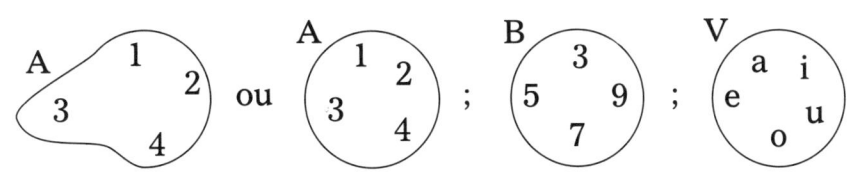

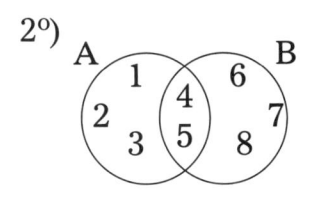

2º)

1 $\in$ A, 2 $\in$ A, 3 $\in$ A, 4 $\in$ A, 5 $\in$ A,
4 $\in$ B, 5 $\in$ B, 6 $\in$ B, 7 $\in$ B, 8 $\in$ B,
1 $\notin$ B, 2 $\notin$ B, 6 $\notin$ A, 7 $\notin$ A, 8 $\notin$ A

2 – Conjunto Universo (U)

Quando estamos determinando alguns conjuntos, vamos considerar um conjunto ao qual pentencem todos os elementos desses conjuntos. Este conjunto é chamado conjunto universo e o indicaremos por U.

Exemplos:

1) Quando estamos determinando os conjuntos das letras de determinadas palavras, o conjunto universo é o conjunto das letras do alfabeto.

2) Quando estamos trabalhando com o **máximo divisor comum e mínimo múltiplo comum** de determinados números, o conjunto universo considerado é o conjunto $\mathbb{N}$ dos números naturais

3) Quando estamos pesquisando em uma escola, os números de alunos que leem os jornais **A**, **B** ou **C**, o conjunto universo é o conjunto de todos os alunos da escola.

4) Quando pesquisamos a intensão de votos em três candidatos, em uma eleição municipal, o conjunto universo é o conjuntos dos eleitores desta cidade.

3 – Subconjunto

Dizemos que um conjunto é subconjunto de outro quando todo elemento dele for também elemento do outro.

Então, um conjunto A é subconjunto de um conjunto B se, e somente se, todo elemento do conjunto A for também elemento de B.

Exemplos:

1) A = {1, 2} e B = {1, 2, 3, 4} ⇒ A é subconjunto de B.

2) A = {2, 3} e B = {1, 2, 3, 4, 5} ⇒ A é subconjunto de B.

3) D = {5} e E = {3, 5, 7, 8} ⇒ D é subconjunto de E.

4) M = {1, 2, 3} e N = {2, 3, 4, 5} ⇒ M não é subconjunto de N.

Note que 1 é elemento de M mas não é de N ($1 \in M \land 1 \notin N$))

5) G = {0, 1, 2, 3} e H = {1, 2} ⇒ G não é subconjunto de H, mas H é subconjunto de G.

6) J = {2, 4, 6} e K = {2, 4, 6} ⇒ J é subconjunto de K e K é subconjunto de J.

Quando A for subconjunto de B dizemos também que A é parte de B ou que A **está contido** em B ou que B **contém** A.

Símbolos: $\subset$ = está contido, $\supset$ = contém, $\not\subset$ = não está contido, $\not\supset$ = não contém.

Se o conjunto A está contido no conjunto B, escrevemos $A \subset B$ ou $B \supset A$.

Note que: $\{1, 2\} \subset \{0, 1, 2, 3\}$; $\{0, 1, 2, 3\} \supset \{1, 2\}$; $\{2, 3\} \not\subset \{1, 3, 5\}$; $\{1\} \subset \{1, 2\}$.

Propriedades:

O conjunto vazio é subconjunto de qualquer conjunto A: $\emptyset \subset A$ e $A \supset \emptyset$.

Todo conjunto A é subconjunto dele mesmo: $A \subset A$ e $A \supset A$.

Dados os conjuntos A, B e D, temos: $A \subset B \land B \subset D \Rightarrow A \subset D$

1 Completar com ⊂ (está contido) ou com ⊃ (contém), nos casos:

a) {2, 3} ___ {1, 2, 3} | b) {a, b, c, d} ___ {b, c} | c) {5} ___ {1, 3, 5, 7}
d) {2, 4, 8} ___ {8} | e) ∅ ___ {1, 2} | f) ∅ ___ {7}
g) {5} ___ ∅ | h) { } ___ {3, 5} | i) {a, b} ___ { }
j) {1, 2} ___ {1, 2} | k) {5} ___ {5} | l) ∅ ___ ∅

2 Completar com ∈ (pertence) ou ⊂ (está contido), nos casos:

a) {2, 3} ___ {1, 2, 3, 4} | b) {2} ___ {1, 2, 3} | c) 2 ___ {1, 2, 3}
d) {1} ___ {1, 2, 3} | e) 1 ___ {1, 2, 3} | f) ∅ ___ {1, 2}

4 – Operações com conjuntos

1) Interseção: Dados dois conjuntos A e B, chamama-se interseção de A e B ao conjunto dos elementos que pertencem a ambos, isto é, elementos que pertencem a A e também a B. Notação: A∩B. Lê-se A inter B

$$A \cap B = \{x \mid x \in A \wedge x \in B\}$$

Exemplos:
1) {1, 2, 3} ∩ {2, 3, 4} = {2, 3}
2) {a, b, c, d} ∩ {d, e, f} = {d}
3) {a, b, c} ∩ {d, e} = { } = ∅
4) {1, 2, 3, 4} ∩ {1, 2, 3, 4} = {1, 2, 3, 4}

Propriedades: 1) A∩A = A 2) A∩∅ = ∅ 3) A∩B = B∩A (comutativa)
4) (A∩B)∩C = A∩(B∩C) (associativa) 5) A⊂B ⇒ A∩B = A

Conjuntos disjuntos:
Dois conjuntos A e B são chamados conjuntos disjuntos se, e somente se, A∩B = ∅

2) União: Dados dois conjuntos A e B, chama-se união de A e B ao conjunto dos elementos que pertencem a A ou pertencem a B, isto é, elementos que pertencem apenas a A ou apenas a B ou a ambos.

Notação: A∪B. Lê-se A u B

$$A \cup B = \{x \mid x \in A \vee x \in B\}$$

Exemplos:
1) {1, 2, 3} ∪ {2, 3, 4, 5} = {1, 2, 3, 4, 5}
2) {1, 2, 3} ∪ {6, 7} = {1, 2, 3, 6, 7}
3) {a, b, c} ∪ {a, b, c, d} = {a, b, c, d},   {a, b} ∪ ∅ = {a, b}

Propriedades: 1) A∪A = A 2) A∪∅ = A 3) A∪B = B∪A (comutativa)
4) (A∪B)∪C = A∪(B∪C) (associativa) 5) A⊂B ⇔ A∪B = B
6) x ∈ A ∪ B ⇒ (x ∈ A ∧ x ∉ B) ou (x ∉ A ∧ x ∈ B) ou (x ∈ A ∧ x ∈ B)

3) Diferença: Dados dois conjuntos A e B, chama-se diferença A – B entre eles, o conjuntos dos elementos que então em A e não estão em B. A – B lê - se A menos B

$$A-B=\{x \mid x \in A \wedge x \notin B\} \text{ e } B-A=\{x \mid x \in B \wedge x \notin A\}$$

Exemplos: 1) $\{1, 2, 3, 4\} - \{3, 4, 5, 6\} = \{1, 2\}$

2) $\{a, b, c\} - \{e, f\} = \{a, b, c\}$

3) $\{a, b, c\} - \{a, b, c, d\} = \emptyset$

4) $\{2, 3\} - \{2, 3\} = \emptyset$, $\{2, 3\} - \emptyset = \{2, 3\}$

Propriedades: 1) $A - \emptyset = A$ 2) $A - A = \emptyset$ 3) $A \subset B \Leftrightarrow A - B = \emptyset$

---

3 Determinar o resultado dos seguintes operações:

a) $\{1, 2, 3\} \cap \{3, 4, 5\} =$

b) $\{1, 2, 3\} \cup \{3, 4, 5\} =$

c) $\{1, 2, 3\} - \{3, 4, 5\} =$

d) $\{3, 4, 5\} - \{1, 2, 3\} =$

e) $\{2, 3\} \cap \{1, 2, 3, 4\} =$

f) $\{2, 3\} \cup \{1, 2, 3, 4\} =$

g) $\{2, 3\} - \{1, 2, 3, 4\} =$

h) $\{1, 2, 3, 4\} - \{2, 3\} =$

i) $\{a, b, c\} \cap \emptyset =$

j) $\{a, b, c\} \cup \emptyset$

k) $\{a, b, c\} - \emptyset =$

l) $\emptyset - \{a, b, c\} =$

m) $\{a, b, c\} \cap \{a, b, c\} =$

n) $\{a, b, c\} \cup \{a, b, c\} =$

o) $\{a, b, c\} - \{a, b, c\} =$

p) $(\{a, b, c\} \cup \{b, c, d\}) - \{b, c\} =$

4 De acordo com os conjuntos dados na forma de diagrama, determinar os conjuntos pedidos, por enumeração dos seus elementos:

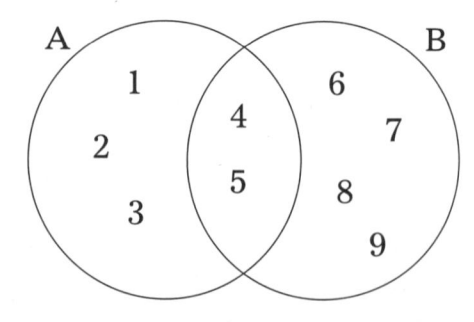

A: 1, 2, 3, 4, 5 B: 4, 5, 6, 7, 8, 9

a) $A \cap B =$

b) $B \cap A =$

c) $A - B =$

d) $B - A =$

e) $A \cup B =$

4) Complementar

Complementar: Dados os conjuntos A e B, com B contido em A ($B \subset A$), o conjunto A – B, ou seja, a diferença A – B chama - se complementar de B em A ou complemento de B em relação A. Notação: C_A^B

$$B \subset A \Rightarrow C_A^B = A - B \text{ ou } C_A^B = \{x \mid x \in A \wedge x \notin B\}$$

Exemplos:

1) $A = \{1, 2, 3, 4\}, B = \{2, 3\} \Rightarrow C_A^B = A - B = \{1, 4\}$

2) $A = \{1, 2, 3\} \Rightarrow C_A^\emptyset = A - \emptyset = A = \{1, 2, 3\}$

3) $A = \{a, b, c\}, B = \{a, b, c\} \Rightarrow C_A^B = A - B = \emptyset \Rightarrow C_A^A = \emptyset$

No caso do complemento em relação ao conjunto universo ∪.

Suprimimos o ∪ da notação e indicamos o complementar de B em ∪ por:

$$C_\cup^B = CB = \overline{B} = B'$$

Exemplo: $\cup = \{0, 1, 2, 3, 4\}, B = \{1, 2\} \Rightarrow \overline{B} = \{0, 3, 4\}$

Obs.: Se $B \not\subset A$, não se define C_A^B

Propriedades: 1) $C_A^A = \emptyset$ 2) $C_A^\emptyset = A$

Obs.: Outras propriedades das operações serão apresentadas posteriormente.

---

5 Considerando os conjunto dados na forma de diagrama, determinar por enumeração dos seus elementos, os seguintes conjuntos:

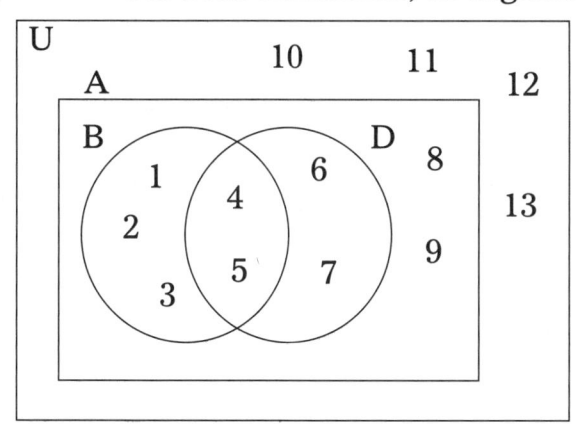

Do diagrama: $U = \{1,2,3,4,5,6,7,8,9,10,11,12,13\}$, $A = \{1,2,3,4,5,6,7,8,9\}$, $B = \{1,2,3,4,5\}$, $D = \{4,5,6,7\}$.

a) $C_A^B = \{6, 7, 8, 9\}$

b) $C_A^D = \{1, 2, 3, 8, 9\}$

c) $C_\cup^A = \overline{A} = \{10, 11, 12, 13\}$

d) $\overline{B} = \{6, 7, 8, 9, 10, 11, 12, 13\}$

e) $\overline{D} = \{1, 2, 3, 8, 9, 10, 11, 12, 13\}$

f) $C_A^{(B \cap D)} = \{1, 2, 3, 6, 7, 8, 9\}$

g) $C_A^{(B \cup D)} = \{8, 9\}$

h) $C_A^{(B-D)} = \{4, 5, 6, 7, 8, 9\}$

i) $C_A^{(D-B)} = \{1, 2, 3, 4, 5, 8, 9\}$

j) $C_B^D = $ não se define ($D \not\subset B$)

k) $C_D^B = $ não se define ($B \not\subset D$)

l) $\overline{B \cup D} = \{8, 9, 10, 11, 12, 13\}$

m) $\overline{B \cap D} = \{1, 2, 3, 6, 7, 8, 9, 10, 11, 12, 13\}$

n) $\overline{B - D} = \{4, 5, 6, 7, 8, 9, 10, 11, 12, 13\}$

o) $\overline{D - B} = \{1, 2, 3, 4, 5, 8, 9, 10, 11, 12, 13\}$

p) $\overline{A - B} = \{1, 2, 3, 4, 5, 10, 11, 12, 13\}$

q) $\overline{A - D} = \{4, 5, 6, 7, 10, 11, 12, 13\}$

r) $\overline{(B - D) \cup (D - B)} = \{4, 5, 8, 9, 10, 11, 12, 13\}$

s) $\overline{(B \cup D) - (B \cap D)} = \{4, 5, 8, 9, 10, 11, 12, 13\}$

Resp: **1** a) ⊂   b) ⊃   c) ⊂   d) ⊃   e) ⊂   f) ⊂   g) ⊃   h) ⊂   i) ⊃   j) ⊂ ou ⊃   k) ⊂ ou ⊃   l) ⊂ ou ⊃

2 a) ⊂   b) ⊂   c) ∈   d) ⊂   e) ∈   f) ⊂

Regiões sombreadas

Uma região sombreada (ou hachurada) em um diagrama representa o conjunto dos elementos que são daquela região. Usamos esses sombreamentos para indicar nos diagramas os resultados das operações com conjuntos.

Exemplos:

1) $A \cap B$ 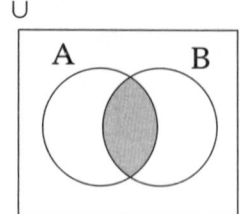
2) $A \cup B$ 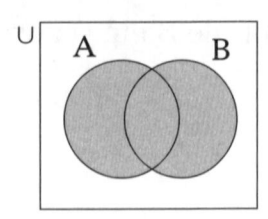
3) $A - B$ 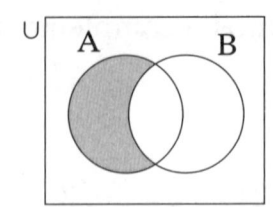
4) $B - A$ 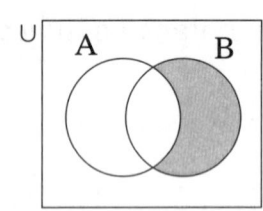
5) $C_A^B =$

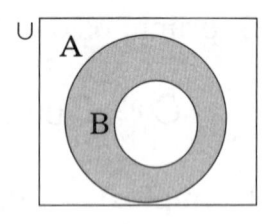

6 Sombrear (assinalar, indicar ou hachurar) nos diagramas, o que se pede, nos casos:
(**Obs.**: A região do retângulo representa o conjunto universo $\cup$)

a) A 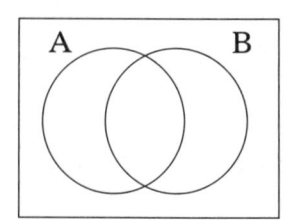
b) B 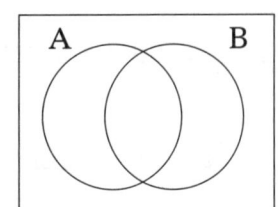
c) $A \cup B$ 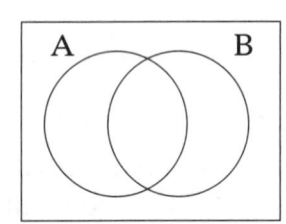
d) $A \cap B$

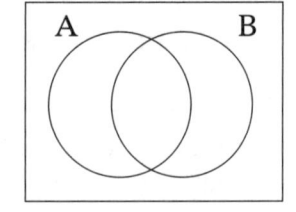

e) $A - B$ 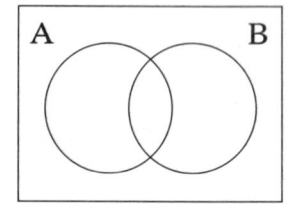
f) $B - A$ 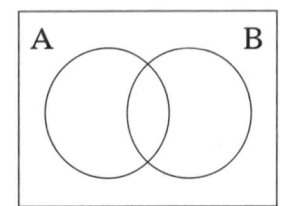
g) $\overline{A}$ 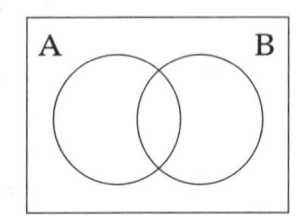
h) $\overline{B}$

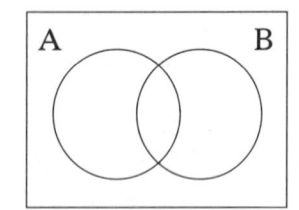

i) $\overline{A \cup B}$ 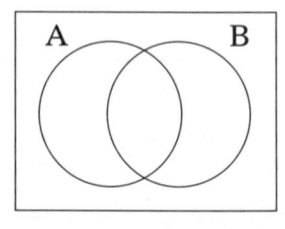
j) $\overline{A \cap B}$ 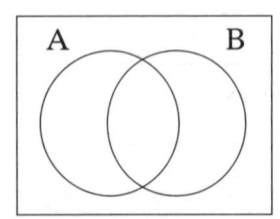
k) $\overline{A - B}$ 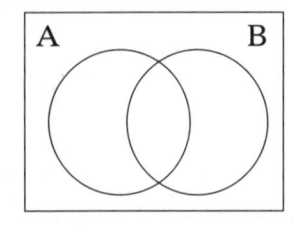
l) $\overline{B - A}$

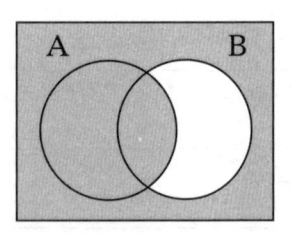

m) $A \cup B$ 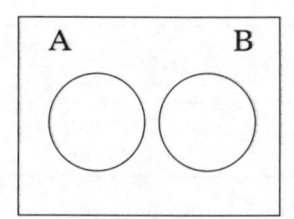
n) $A \cap B$ 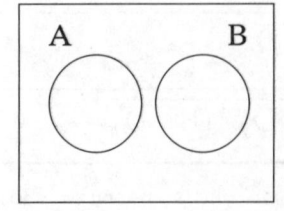
o) $A - B$ 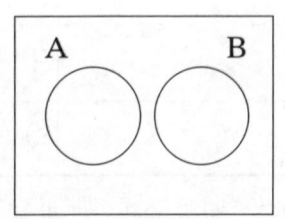
p) $B - A$

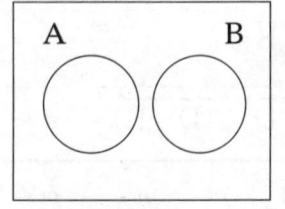

7 Sombrear nos diagramas, o que se pede, nos casos:
Obs.: A região do retângulo representa o conjunto universo ∪.

a) A∩B∩C

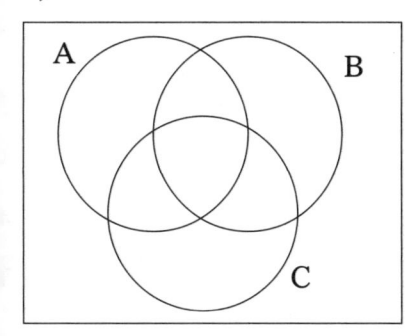

b) A∪B∪C

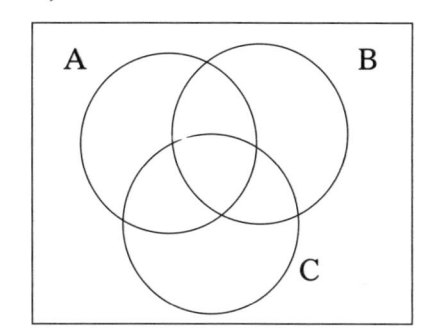

c) A−(B∩C)

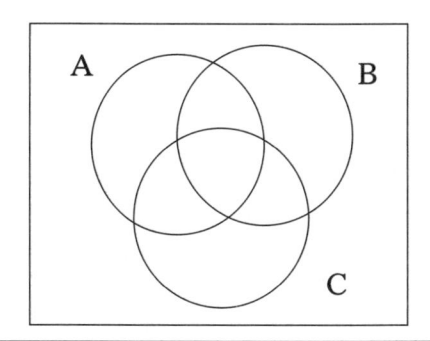

d) A−(B∪C)

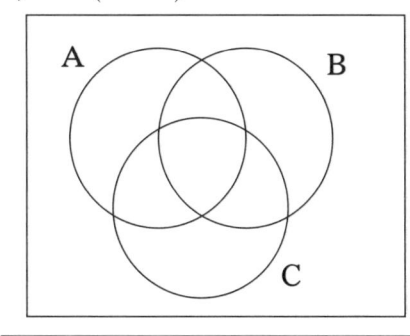

e) (B∩C)−A

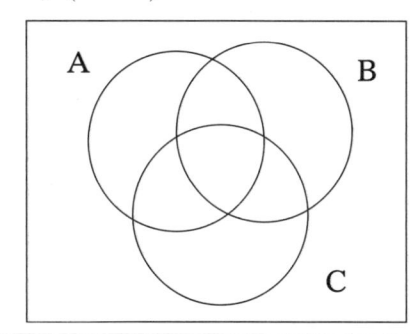

f) (B∪C)−A

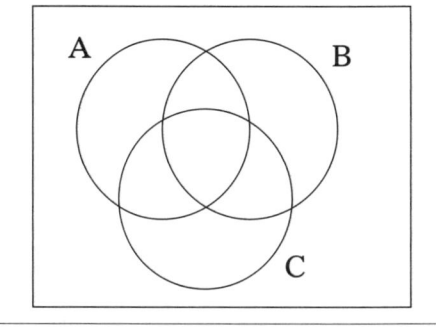

g) (B−A)∪(C−A)

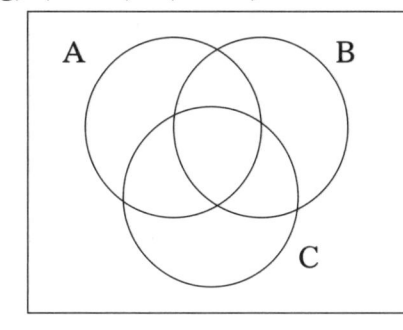

h) (B−A)∩(C−A)

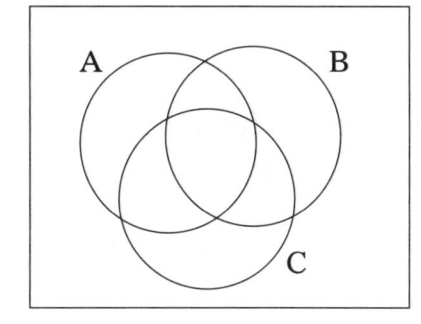

i) (A−B)∪(A−C)

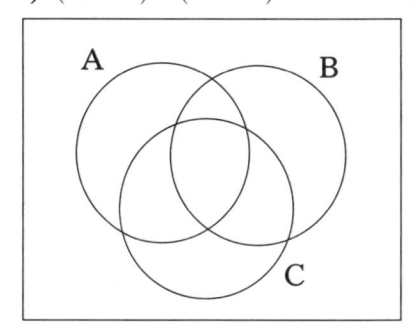

j) (A−B)∩(A−C)

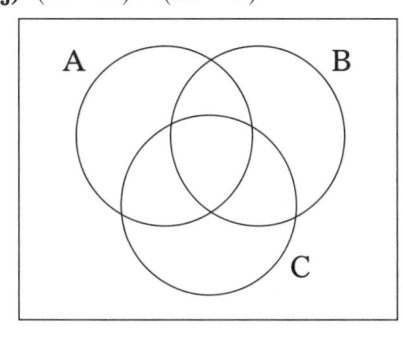

k) $\overline{A \cup B \cup C}$

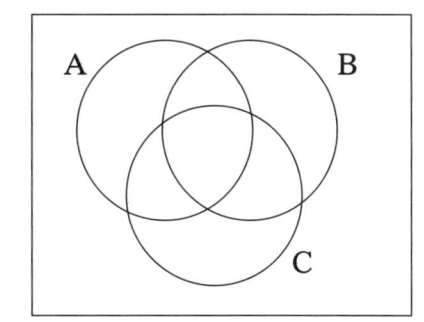

l) $\overline{(A \cup B) - C}$

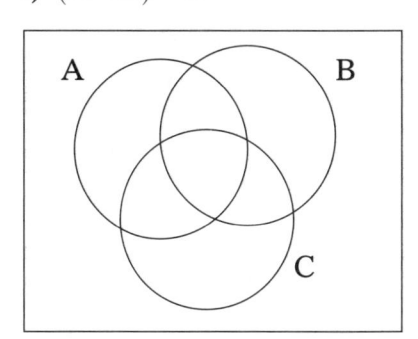

Resp:

3 a) {3} b) {1, 2, 3, 4, 5} c) {1, 2} d) {4, 5} e) {2, 3} f) {1, 2, 3, 4} g) ∅ h) {1, 4} i) ∅
j) {a, b, c} k) {a, b, c} l) ∅ m) {a, b, c} n) {a, b, c} o) ∅ p) {a, d}

4 a) {4, 5} b) {4, 5} c) {1, 2, 3} d) {6, 7, 8, 9} e) {1, 2, 3, 4, 5, 6, 7, 8, 9}

5 a) {6, 7, 8, 9} b) {1, 2, 3, 8, 9} c) {10, 11, 12, 13} d) {6, 7, 8, 9, 10, 11, 12, 13} e) {1, 2, 3, 8, 9, 10, 11, 12, 13}
f) {1, 2, 3, 6, 7, 8, 9} g) {8, 9} h) {4, 5, 6, 8, 9} i) {1, 2, 3, 4, 5, 8, 9} j) (Não existe pois D ⊄ B)
k) (Não existe pois B ⊄ D) l) {8, 9, 10, 11, 12, 13} m) {1, 2, 3, 6, 7, 8, 9, 10, 11, 12, 13}
n) {4, 5, 6, 7, 8, 9, 10, 11, 12, 13} o) {1, 2, 3, 4, 5, 8, 9, 10, 11, 12, 13} p) {1, 2, 3, 4, 5, 10, 11, 12, 13}
q) {4, 5, 6, 7, 10, 11, 12, 13} r) {4, 5, 8, 9, 10, 11, 12, 13} s) {4, 5, 8, 9, 10, 11, 12, 13}

8 Sombrear o que se pede, nos casos:

a) $(A-B) \cup (B-A)$

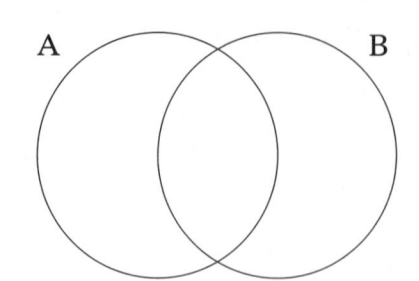

b) $(A \cup B) - (A \cap B)$

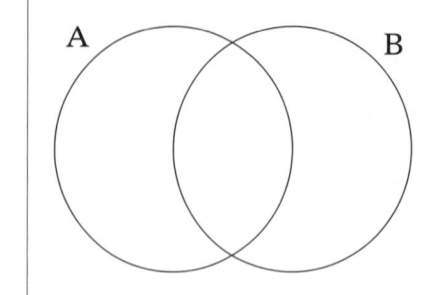

c) $C_D[(A-B) \cup (B-A)]$

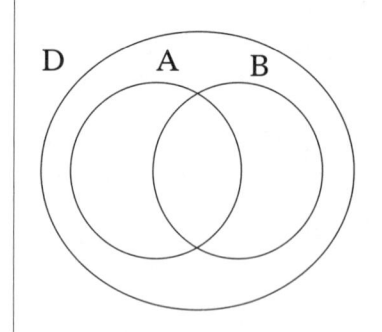

d) $[(A \cap B)-C] \cup [(A \cap C)-B] \cup [(B \cap C)-A]$

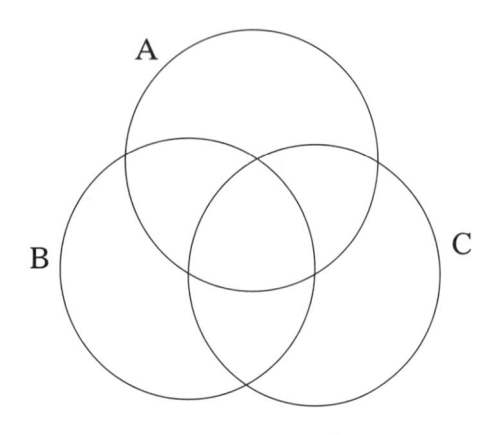

e) $[A-(B \cup C)] \cup [B-(A \cup C)] \cup [C-(A \cup B)]$

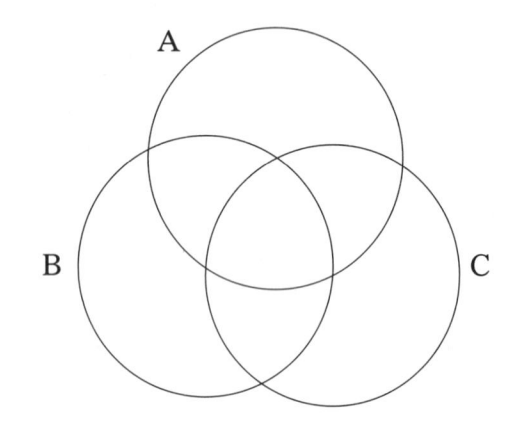

9 Classificar com V (verdadeira) ou F (falsa) cada uma das sentenças:

Obs.: Os diagramas de Ven podem ajudar na análise das afirmações.

a) $x \in A \cap B \Rightarrow x \in A$ ( )

b) $x \in (A \cup B) \Rightarrow x \in A$ ( )

c) $x \in (A \cup B) \Rightarrow x \notin A$ ( )

d) $x \in (A \cup B) \Rightarrow x \in A \wedge x \in B$ ( )

e) $x \in (A \cap B) \Rightarrow x \in A \vee x \in B$ ( )

f) $x \in (A-B) \Rightarrow x \in A$ ( )

g) $x \in (A-B) \Rightarrow x \in B$ ( )

h) $x \notin (A \cup B) \Rightarrow x \notin A$ ( )

i) $x \notin (A \cap B) \Rightarrow x \notin A$ ( )

j) $x \notin (A \cap B) \Rightarrow x \notin B$ ( )

k) $x \notin (A-B) \Rightarrow x \in B$ ( )

l) $x \in (A-B) \Rightarrow x \notin B$ ( )

m) $x \in (A \cap B) \Rightarrow x \notin (A-B)$ ( )

n) $x \in (A \cup B) \Rightarrow x \in (A-B)$ ( )

o) $x \notin (A \cap B) \Rightarrow x \in (A-B)$ ( )

p) $x \in (A-B) \Rightarrow x \notin (A \cap B)$ ( )

q) $x \notin (A \cup B) \Rightarrow x \notin (A-B)$ ( )

r) $x \in (A \cup B) \Rightarrow x \notin (A-B)$ ( )

10 Dados os conjuntos A e B contidos em ∪, determinar o que se pede:

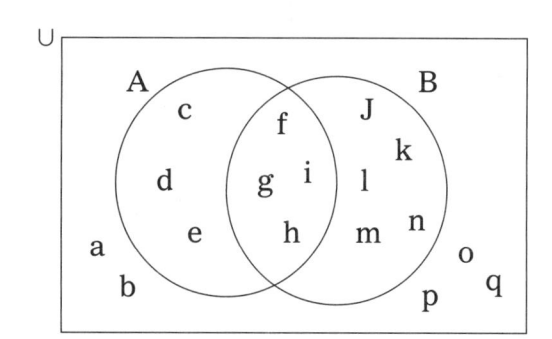

a) n (A) =	b) n (B) =
c) n (∪) =	d) n (A ∩ B) =
e) n (A ∪ B) =	f) n (A − B) =
g) n (B − A) =	h) n ($\overline{A \cup B}$) =

11 No diagrama seguinte os números entre parênteses, de cada região, indica o número de elementos desta região. Determinar o que se pede.

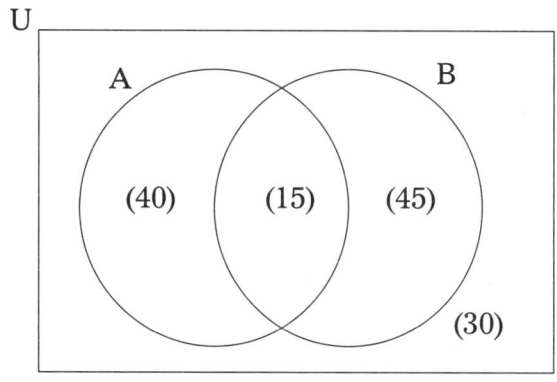

a) n (A) =	b) n (B) =
c) n (∪) =	d) n (A ∩ B) =
e) n (A ∪ B) =	f) n ($\overline{A}$) =
g) n ($\overline{B}$) =	h) n ($\overline{A \cup B}$) =
i) n ($\overline{A \cap B}$) =	j) n ($\overline{A - B}$) =

| k) n (B − A) = | l) n ($\overline{A} \cap \overline{B}$) = | m) n ($\overline{A} \cup \overline{B}$) = | n) n ($\overline{A} - \overline{B}$) = |

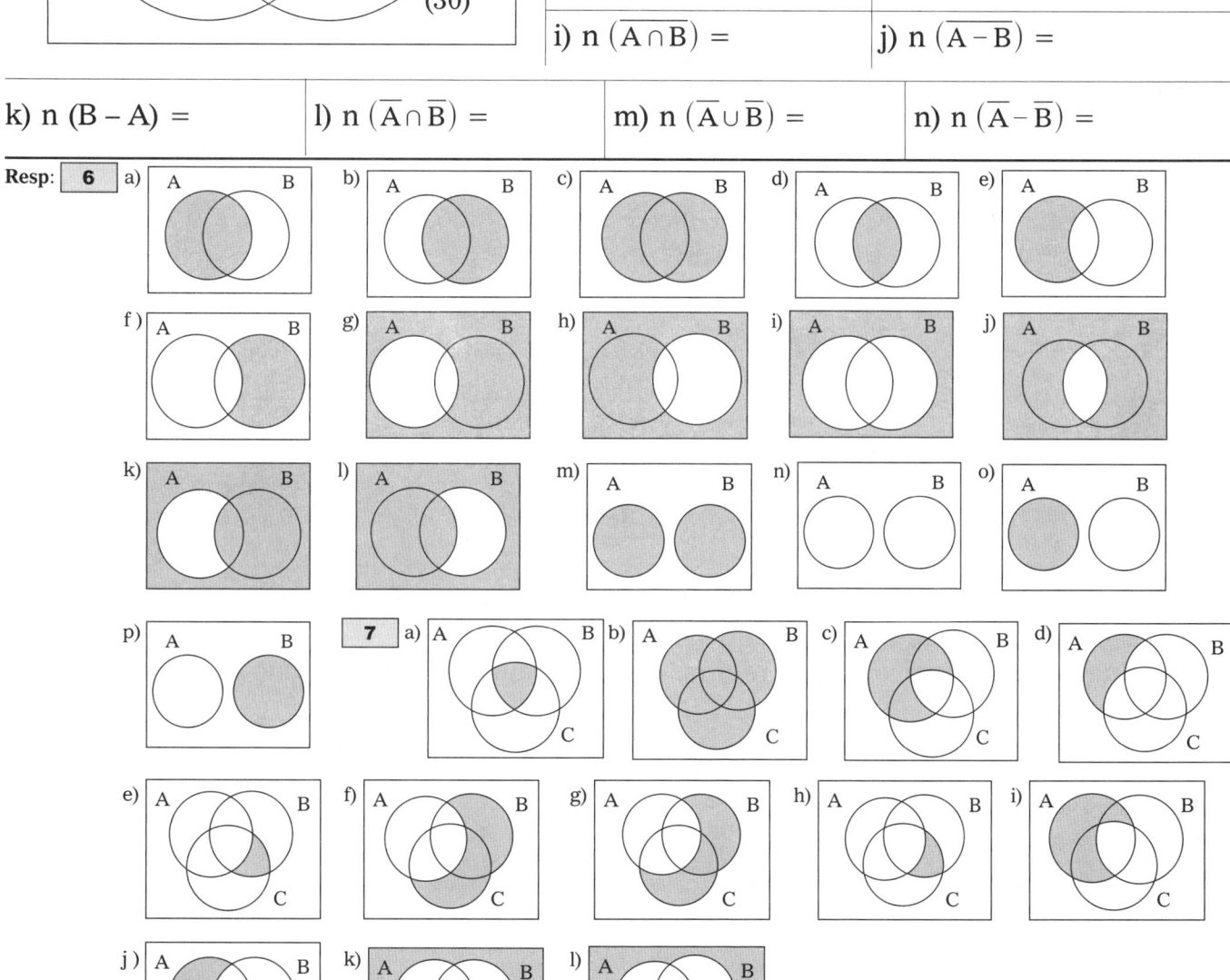

12 A e B são subconjuntos de ∪. Indicar em cada região, entre parênteses, o número de elementos da região, de acordo com os dados, e determinar o que se pede.

a) n (A ∩ B) = 20 , n (A − B) = 40
n (B − A) = 25 , n ($\overline{A \cup B}$) = 10

b) n (A) = 100 , n (B) = 70
n (A ∩ B) = 45 , n ($\overline{A \cup B}$) = 35

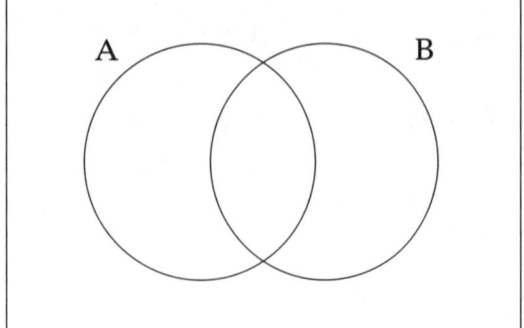

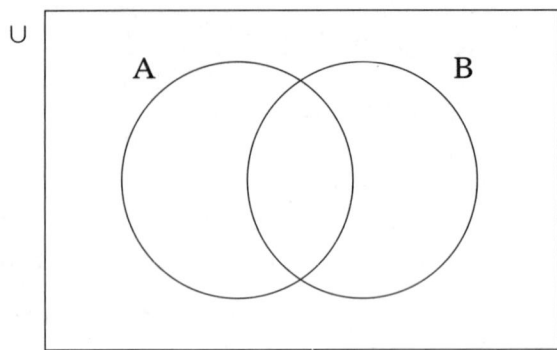

1) n (A) = 2) n (B) =
3) n (∪) = 4) n (A ∪ B) =

1) n (A − B) = 2) n (B − A) =
3) n (A ∪ B) = 4) n (∪) =

c) n (A) = 100 , n (B) = 90
n (A ∪ B) = 150 , n (∪) = 220

d) n (A) = 300 , n (B) = 450
n (A ∪ B) = 630 , n ($\overline{A \cup B}$) = 150

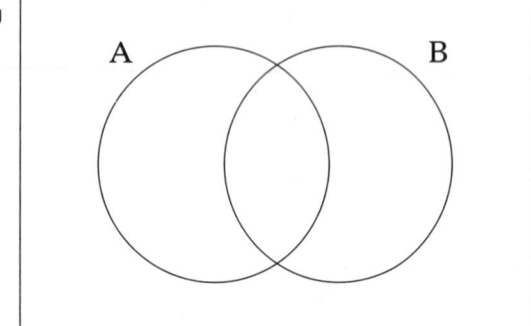

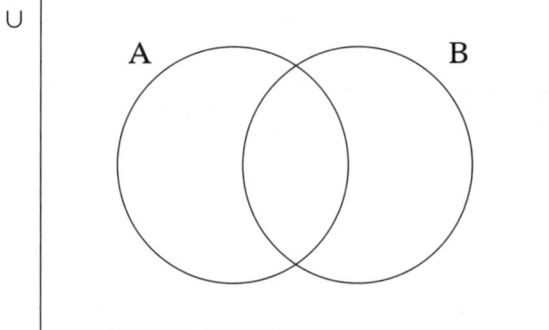

1) n ($\overline{A \cup B}$) = 2) n (A ∩ B) =
3) n (A − B) = 4) n (B − A) =

1) n (∪) = 2) n (A ∩ B) =
3) n (A − B) = 4) n (B − A) =

13 De um grupo de 500 pessoas, 40 são sócias de um clube A, 47 são sócias de um clube B e 5 pessoas são sócias dos dois clubes. Determinar
Sugestão: Indicar em cada região, entre parênteses, o número de sócios correspondente.

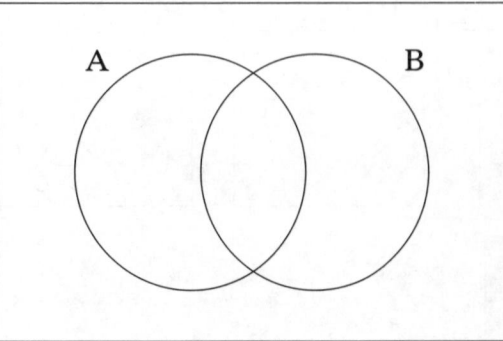

a) Quantas são sócios somente de A?

b) Quantas são sócias somente de B?

c) Quantas são sócias de A ou B?

d) Quantas pessoas deste grupo não são sócias de nenhum desses clubes?

14 Em uma pesquisa foram entrevistadas 600 pessoas e obtidos os seguintes resultados:
- 52 são assinantes da Folha de São Paulo.
- 55 são assinantes do Estado de São Paulo.
- 10 são assinantes dos dois jornais.

Nestas condições, pergunta-se:

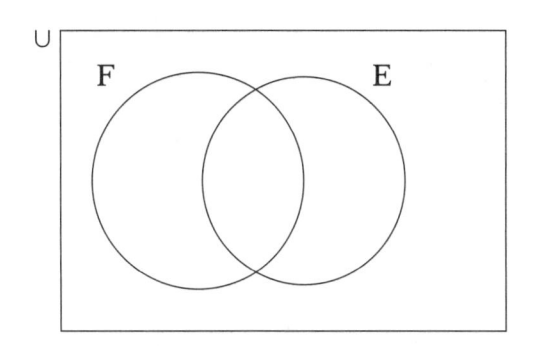

a) Quantas dessas pessoas assinam apenas a Folha?

b) Quantas assinam apenas o Estado?

c) Quantas assim a Folha ou o Estado?

15 110 pessoas que trabalham em uma empresa vão a um restaurante A ou a um B que ficam nas imediações. Verificou-se que em uma determinada semana 35 tinham ido apenas ao A e 50 apenas ao B. Pergunta-se:

a) Quantas foram aos dois?   b) Quantas foram ao A?   c) Quantas foram ao B?

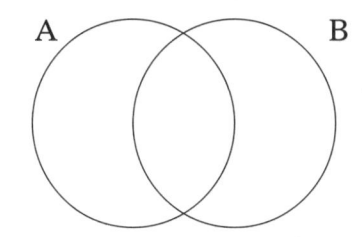

16 De um grupo de 650 estudantes pesquisados, verificou-se que vão para a escola,

a) de metrô ou ônibus. 500 pegam metrô e e 200 pegam ônibus. Quantos pegam os dois?

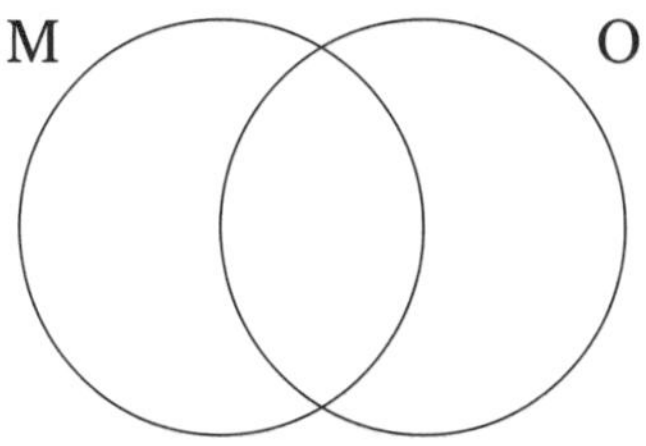

b) com camiseta ou tênis. 300 com camiseta 600 com tênis. Quantos vão com camiseta e tênis?

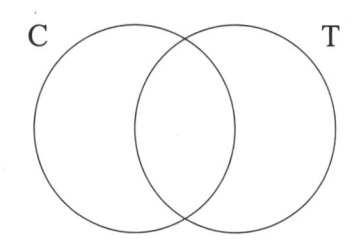

Resp: **8** a) A   b) A   c) D   d)   e)

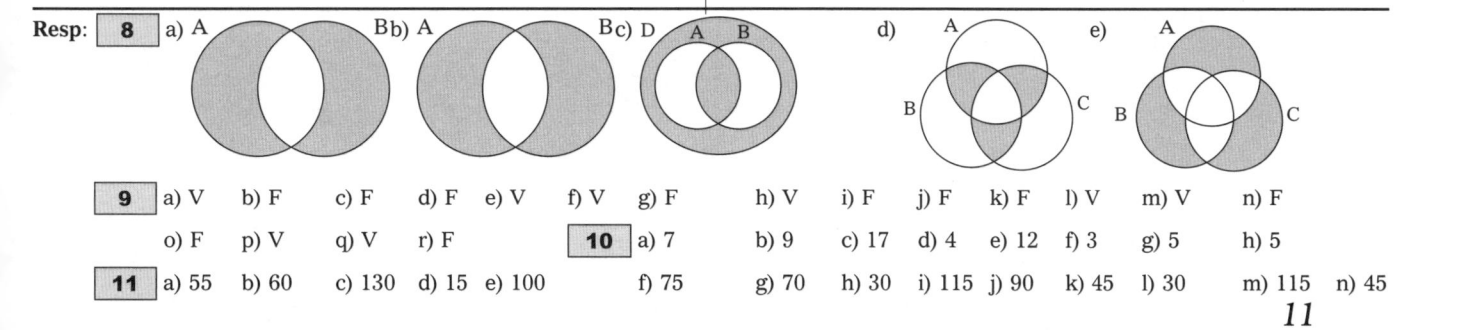

9 a) V b) F c) F d) F e) V f) V g) F h) V i) F j) F k) F l) V m) V n) F
o) F p) V q) V r) F   **10** a) 7 b) 9 c) 17 d) 4 e) 12 f) 3 g) 5 h) 5

11 a) 55 b) 60 c) 130 d) 15 e) 100 f) 75 g) 70 h) 30 i) 115 j) 90 k) 45 l) 30 m) 115 n) 45

17 Em uma pesquisa foram entrevistadas 2400 pessoas, a respeito da leitura da revistas A e B. Verificou-se que 370 liam A, 500 liam B e 800 liam A ou B. Pergunta-se:

a) Quantas não liam nenhuma?
b) Quantas liam ambos?
c) Quantas liam apenas A?
d) Quantas liam apenas B?

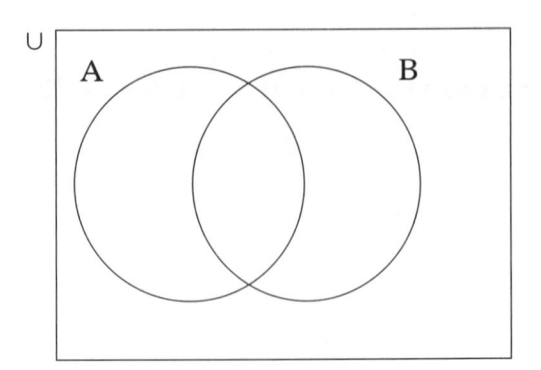

18 300 pessoas foram entrevistadas a respeito do consumo das marcas A e B de azeite. Constatou-se que 130 consomem A, 135 consomem B e 230 consomem A ou B. Pergunta-se quantas pessoas

a) não consomem nenhuma desses marcas?
b) consomem as duas?
c) consomem apenas A
d) consomem apenas B

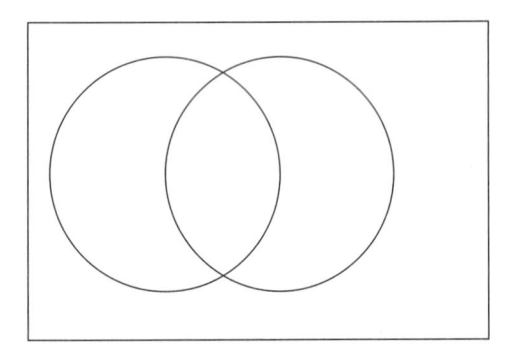

19 Em um grupo de consumidores foi feita uma pesquisa e vericou-se que 105 consomem um detergente A, 120 consomem um detergente B e 45 consomem os dois. Pergunta-se:

a) Quantos consomem A ou B?

b) Qual o número mínimo de consumidores desse grupo?

c) Se foram entrevistados 230 consumidores, quantos não consomem nenhum desses produtos?

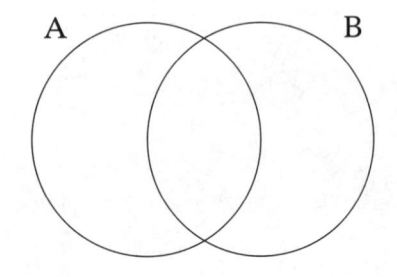

20 A repeito dos 190 clientes que entraram em um restaurante, em um determinado dia verificou-se que 55 usavam óculos, 20 usavam óculos e tênis e 85 não usavam óculos nem tênis. Determinar quantos clientes usavam

a) apenas óculos b) apenas tênis c) tênis d) óculos ou tênis.

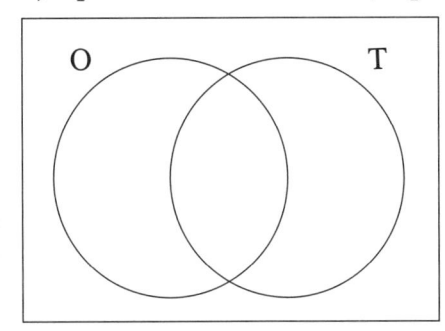

21 Em uma pesquisa com 380 pessoas que assistem as novelas A ou B, vericou-se que 300 assistem a novela A, 330 a novela B. Determinar quantas pessoas assistem

a) ambas b) apenas A c) apenas B

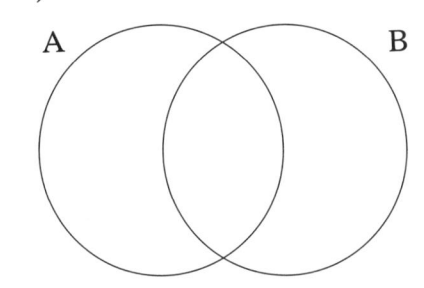

22 Em uma sala com 34 alunos havia 22 alunos que falavam inglês, 10 que falavam espanhol e 8 que não falavam inglês nem espanhol. Quantos alunos falam

a) inglês ou espanhol? b) inglês e espanhol? c) apenas inglês? d) apenas espanhol?

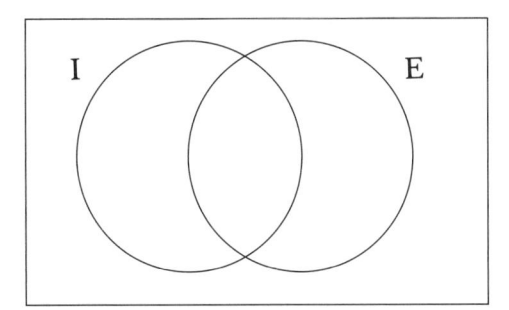

Resp:

12 a) U, A (40) (20) B (25) (10)
1) 60 2) 45 3) 95 4) 85

b) U, A (55) (45) B (25) (35)
1) 55 2) 25 3) 125 4) 160

c) U, A (60) (40) B (50) (70)
1) 70 2) 40 3) 60 4) 50

d) U, A (180) (120) B (330) (150)
1) 780 2) 120 3) 180 4) 330

13 A (35) (5) B (42) (418)
a) 35 b) 42 c) 82 d) 418

14 U, F (42) (10) E (45) (503)
a) 42 b) 45 c) 97 d) 503

15 A (35) (25) B (50)
a) 25 b) 60 c) 75

16 a) M (450) (50) O (150) $x = 50$

b) C (50) (250) T (350) $y = 250$

23 Duas sobremesas, um doce e uma salada de frutas, foram oferecidas para os clientes de um restaurante por quilo, em um determinado dia. 400 aceitaram sobremesa, sendo que 310 aceitaram salada de frutas, 200 aceitaram doce e 280 não aceitaram doce. Pergunta-se:

a) Quantas aceitaram o doce e a salada?
b) Quantos aceitaram apenas a salada?
c) Quantas aceitaram apenas o doce?
d) Quantos foram os clientes neste dia?

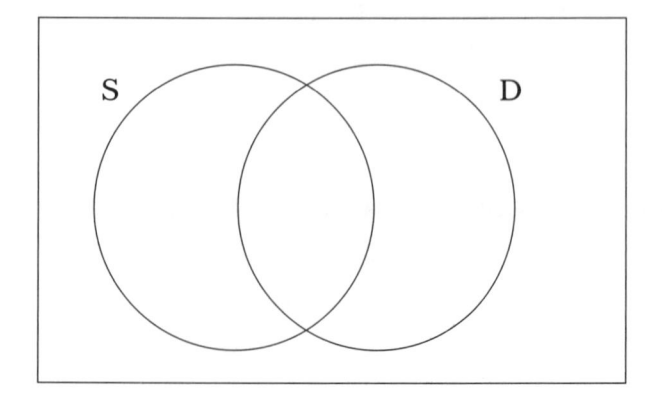

24 Foi feita uma pesquisa em uma comunidade com 1200 pessoas, sobre os programas A, B e C de um canal de televisão e a tabela seguinte mostra quantos telespectadores assistem a esses programas. Determinar quantas pessoas:

Programas	Número de Telespectadores
A	480
B	430
C	470
A e B	150
A e C	160
B e C	180
A, B e C	80

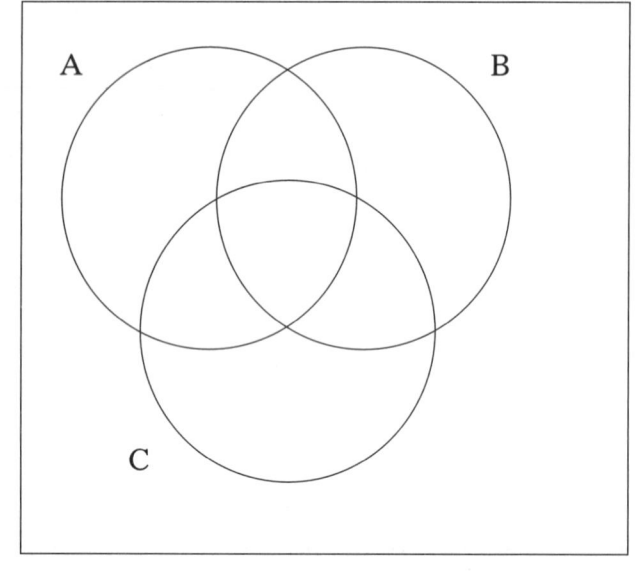

a) Assistem apenas A
b) Assistem apenas B
c) Assistem apenas C
d) Assistem A e B
e) Assistem A ou B
f) Assistem B ou C
g) Não assistem A
h) Não assistem B
i) Assistem B e C mas não assistem A
j) Assistem A mas não assistem B ou C
k) Não assistem B ou C
l) Não assistem a qualquer dos três programas

25 (PUC-CAMPINAS-SP) Numa comunidade constituída de 1.800 pessoas, há três programas de TV favoritos: Esporte (E), Novela (N) e Humorismo (H). A tabela seguinte indica quantas pessoas assistem a esses programas:

Programas	E	N	H	E e N	N e H	E e H	E, N e H
Números de Telespectadores	400	1.220	1.080	220	800	180	100

Através desses dados, determinar o número de pessoas da comunidade que não assistem a qualquer dos três programas.

26 (UFSC) Numa concentração de atletas, há 42 que jogam basquetebol, 28 voleibol e 18 voleibol e basquetebol, simultaneamente. Qual o número mínimo de atletas na concentração?

27 (F.G.V. SP) Uma empresa entrevistou 300 de seus funcionários a respeito de três embalagens: A, B e C para o lançamento de um novo produto. O resultado foi o seguintes: 160 indicam a embalagem A; 120 indicaram a embalagens B; 90 indicaram a embalagem C; 30 indicaram as embalagens A e B; 40 indicaram as embalagens A e C; 50 indicaram as embalagens B e C; e 10 indicaram as 3 embalagens. Dos funcionários entrevistados, quandos não tinham preferência por nenhuma das 3 embalagens?

28 (F.M.SANTA CASA-SP) Analisando-se as carteiras de vacinação das 84 crianças de uma creche, verificou-se que 68 receberam a vacina Sabin, 50 receberam a vacina contra sarampo e 12 não foram vacinadas. Quantas dessas crianças receberam as duas vacinas?

29 (UNESP) Suponhamos que numa equipe de 10 estudantes, 6 usam óculos e 8 usam relógio. Determinar o número de estudantes que usa, ao mesmo tempo, óculos e relógio.

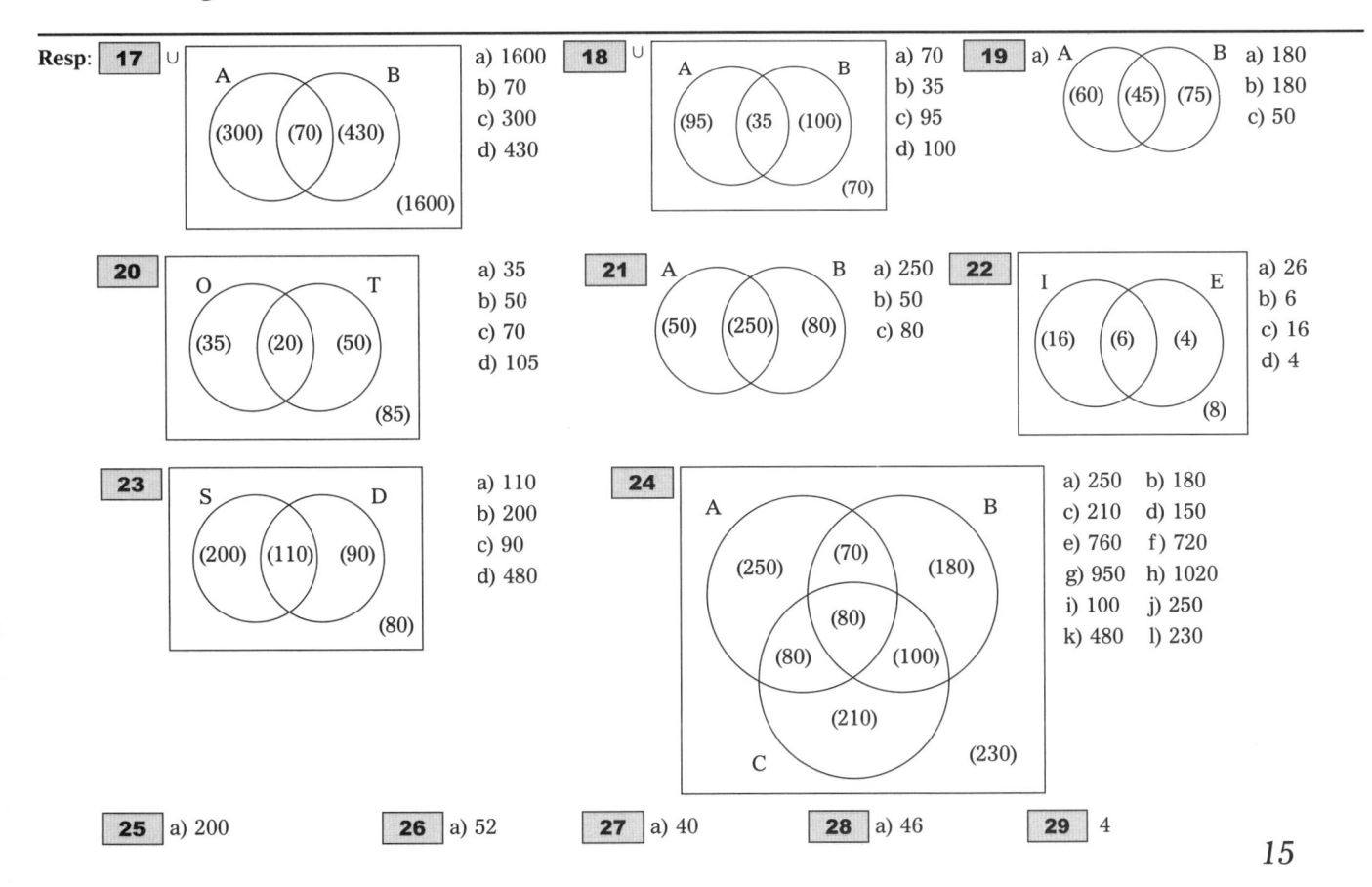

Resp:

17 a) 1600 b) 70 c) 300 d) 430

18 a) 70 b) 35 c) 95 d) 100

19 a) 180 b) 180 c) 50

20 a) 35 b) 50 c) 70 d) 105

21 a) 250 b) 50 c) 80

22 a) 26 b) 6 c) 16 d) 4

23 a) 110 b) 200 c) 90 d) 480

24 a) 250 b) 180 c) 210 d) 150 e) 760 f) 720 g) 950 h) 1020 i) 100 j) 250 k) 480 l) 230

25 a) 200   **26** a) 52   **27** a) 40   **28** a) 46   **29** 4

15

II FUNÇÕES

1 - Introdução

Nas resoluções de muitos problemas acabamos por encontrar, após os equacionamentos, equações com duas variáveis, mostrando uma interdependência entre elas. Muitas vezes é conveniente isolar uma delas e aí vemos que haverá uma dependência, onde a isolada depende dos valores assumidos pela outra.

A partir desta ideia e apoiando-se em conceitos matemáticos pré estabelecidos desenvolveu-se um assunto importantíssimo que se chama funções.

Uma das partes que ajuda muito o entendimento das funções é o estudo dos seus gráficos. Para isso vamos retomar o **plano cartesiano**.

Antes vejamos alguns exemplos práticos:

Exemplo 1: Uma pequena empresa que fabrica camisetas tem um custo fixo mensal de R$ 5 000,00, que não depende do número de camisetas fabricadas. Para confeccionar cada camiseta ela gasta em materia prima R$ 15,00, independente do número de camisetas produzidas. Se a empresa fabrica e vende n camisetas por mês, sendo R$ 80,00 o preço que ela vende cada camiseta, determinar:

a) A receita mensal, indicada por R(n), com a venda de n camisetas

b) O custo mensal C(n) da empresa na confecção de **n** camisetas

c) O lucro mensal L(n) com a venda de **n** camisetas

d) Se em um determinado mês o lucro da empresa foi de R$ 8 000,00 quantas camisetas foram produzidas (e vendidas) neste mês?

Resolução: a) Vendendo **n** camisetas por R$ 80,00 cada, a receita é de n · (80) ⇒ $\boxed{R(n) = 80n}$ (em reais)

Olhe o significado: Se vender 70 camisetas temos:

R(n) = 80n, n = 70 ⇒ R(70) = 80 · 70 = 5600 ⇒ R$ 5600,00

b) Temos que somar o custo fixo mensal de R$ 5000,00 com n · (15) pois são gastos 15 reais de matéria prima para confeccionar cada camiseta. Então:

C(n) = 5000 + n(15) ⇒ $\boxed{C(n) = 15n + 5000}$

c) O lucro é dado pela diferença entre a receita e o custo

L(n) = R(n) – C(x) ⇒ L(n) = 80n – (15n + 5000)

$\boxed{L(n) = 65n - 5000}$

d) Como L(n) = 65n – 5000 e L(n) = 8 000, temos:

65n – 5000 = 8 000 ⇒ 65n = 13 000 ⇒ $\boxed{n = 200}$

Olhe o lucro se ele vender 77 camisetas

L(n) = 65n – 5000 ⇒ L(77) = 65(77) – 5000 ⇒ L(77) = 5005 – 5000

⇒ Lucro de R$ 5,00.

Exemplo 2: Quando for dada uma equação que define um valor y em função de uma variável x, onde sabemos os valores que x pode assumir, indicamos este fato por:

y = f(x) ou y = g(x) ou y = h(x), onde f(x), g(x), h(x) são expressões na variável x. Exemplos:

I) $y = f(x)$ e $f(x) = 2x - 6 \Rightarrow y = 2x - 6$

II) $y = g(x)$ e $g(x) = x^2 - 5x + 6 \Rightarrow y = x^2 - 5x + 6$

Para cada x, dentre os valores que ele pode assumir, determinamos o y correspondente.

I) $y = f(x) = 2x - 6$

$x = 1 \Rightarrow y = f(1) = 2(1) - 6 \Rightarrow y = 2 - 6 \Rightarrow y = -4$

$x = 3 \Rightarrow y = f(3) = 2(3) - 6 \Rightarrow y = 6 - 6 \Rightarrow y = 0$

II) $y = f(x) = x^2 - 5x + 6$

$x = 1 \Rightarrow f(1) = 1^2 - 5(1) + 6 \Rightarrow f(1) = 1 - 5 + 6 \Rightarrow f(1) = 2 \Rightarrow y = 2$

$x = 2 \Rightarrow f(2) = 2^2 - 5(2) + 6 \Rightarrow f(2) = 4 - 10 + 6 \Rightarrow f(2) = 0 \Rightarrow y = 0$

$x = 3 \Rightarrow f(3) = 3^2 - 5(3) + 6 \Rightarrow f(3) = 9 - 15 + 6 \Rightarrow f(3) = 0 \Rightarrow y = 0$

Exemplo 3: A base maior de um trapézio mede 20 cm e a base menor e a altura são expressas, respectivamente por (2x)cm (x + 1)cm. Determinar a expressão que dá a área S do trapézio em função de x. Em seguida determinar esta área para x = 1 e x = 2.

Resolução:

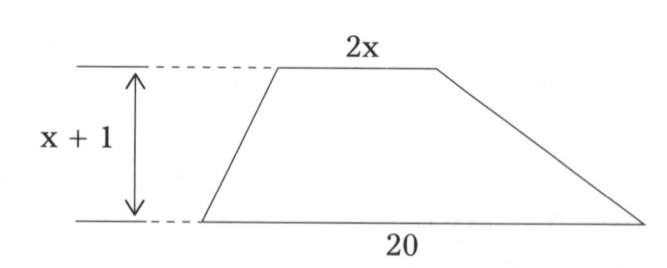

1) $S(x) = \dfrac{(20 + 2x)(x + 1)}{2} \Rightarrow$

$S(x) = (10 + x)(x + 1) \Rightarrow$

$S(x) = 10x + 10 + x^2 + x \Rightarrow$

$\boxed{S(x) = x^2 + 11x + 10}$

2) $S(1) = 1^2 + 11(1) + 10 \Rightarrow S(1) = 22 \Rightarrow$

para x = 1, a área do trapézio será 22 cm²

3) $S(2) = 2^2 + 11(2) + 10 \Rightarrow S(2) = 4 + 22 + 10 \Rightarrow S(2) = 36 \Rightarrow$

para x = 2, a área do trapézio será 36 cm²

2 – Conjuntos numéricos

1) **Números naturais**: $\mathbb{N} = \{0, 1, 2, ..., 10, 11...\}$.   E $\mathbb{N}^* = \{1, 2, ..., 10, 11,...\}$

2) **Números inteiros**: $\mathbb{Z} = \{..., -3, -2, -1, 0, 1, 2,...\}$.   E $\mathbb{Z}^* = \{..., -2, -1, 1, 2,...\}$

3) **Números racionais**: $\mathbb{Q} = \left\{ x \mid x = \dfrac{a}{b}, a \in \mathbb{Z} \text{ e } b \in \mathbb{Z}^* \right\}$

Obs.: Podemos indicar também por $x = \pm \dfrac{a}{b}, a \in \mathbb{N}$ e $b \in \mathbb{N}^*$

Exemplos de números racionais:

1º) $\dfrac{2}{3}$, $\dfrac{-5}{4} = -\dfrac{5}{4} = \dfrac{5}{-4}$, $\dfrac{1}{8}$, $\dfrac{-9}{13}$, $-\dfrac{7}{8}$, $\dfrac{21}{35} = \dfrac{3}{5}$, $\dfrac{20}{25} = \dfrac{4}{5}$

2º) Os decimais exatos e periódicos também são racionais:

$0,5 = \dfrac{5}{10} = \dfrac{1}{2}$; $1,8 = \dfrac{18}{10} = \dfrac{9}{5}$; $0,25 = \dfrac{25}{100} = \dfrac{1}{4}$; $0,125 = \dfrac{125}{1000} = \dfrac{1}{8}$

$0,33.. = \dfrac{3}{9} = \dfrac{1}{3}$; $0,777... = \dfrac{7}{9}$; $0,666... = \dfrac{6}{9} = \dfrac{2}{3}$

3º) Os números inteiros também são racionais

$3 = \dfrac{3}{1}$, $5 = \dfrac{5}{1}$, $7 = \dfrac{7}{1}$, $-6 = -\dfrac{6}{1}$, $-8 = \dfrac{-8}{1}$, $0 = \dfrac{0}{n}(n \neq 0)$

4) **Números irracionais**

Os números que, na forma decimal, não são decimais exatos nem periódicos são **chamados irracionais**. O mais famoso é o π.

$\pi = 3,141592653589 ...$

Outos exemplos: $\sqrt{2} = 1,41421 ...$; $\sqrt{3} = 1,73205 ...$

$\sqrt{5} = 2,23606 ...$; $\sqrt{6} = 2,44948 ...$

Não é possível escrever um número irracional na forma $\dfrac{a}{b}$ com **a** e **b** inteiros. Então o número irracional não é racional.

Prova-se que se o número **x** é irracional e **a** é racional então também são irracionais os números $x + a$; e para $a \neq 0$, os números $x \cdot a$, $\dfrac{x}{a}$ e $\dfrac{a}{x}$.

5) **Números reais**

Nomeando por **I** o conjunto dos números irracionais, a união de **Q** com **I** é o conjunto dos números reais. Notação: $\mathbb{R}$

6) **Eixo ou reta dos números reais**

Se fizermos corresponder a cada ponto de uma reta um único número real, seguindo certos critérios, obtemos o que chamamos de **eixo dos números reais** ou **reta dos reais**.

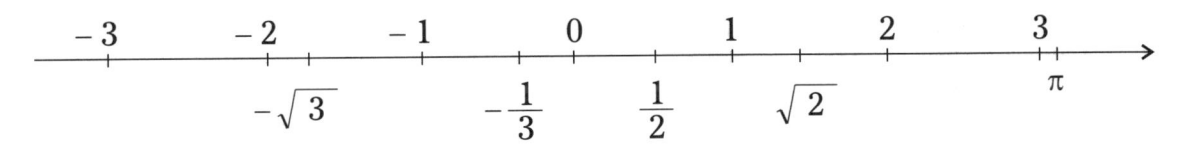

30 Classificar com V (verdadeira) ou F (falsa) as seguintes sentenças:

a) $3 \in \mathbb{N}$ ( ) b) $-3 \in \mathbb{N}$ ( ) c) $3 \in \mathbb{Z}$ ( )

d) $-3 \in \mathbb{Z}$ ( ) e) $-5 \notin \mathbb{Q}$ ( ) f) $-5 \notin \mathbb{Z}$ ( )

g) $\frac{2}{3} \in \mathbb{Z}$ ( ) h) $\frac{2}{3} \notin \mathbb{Q}$ ( ) i) $-\frac{2}{3} \in \mathbb{Q}$ ( )

j) $7 \in \mathbb{Q}$ ( ) k) $0,3 \in \mathbb{Q}$ ( ) l) $0,33 \notin \mathbb{Q}$ ( )

m) $-3 \in \mathbb{Q}$ ( ) n) $\sqrt{11} \in \mathbb{Q}$ ( ) o) $\sqrt{11} \in \mathbb{R}$ ( )

p) $-\sqrt{2} \in \mathbb{Q}$ ( ) q) $-\sqrt{7} \in \mathbb{R}$ ( ) r) $\pi \notin \mathbb{R}$ ( )

31 Classificar com V (verdadeira) ou F (falsa) as sentenças:

a) $\mathbb{N} \subset \mathbb{Z}$ ( ) b) $\mathbb{N} \subset \mathbb{Z}^*$ ( ) c) $\mathbb{N} \subset \mathbb{Q}$ ( )

d) $\mathbb{Z} \subset \mathbb{Q}$ ( ) e) $\mathbb{Z} \subset \mathbb{R}$ ( ) f) $\mathbb{Q} \subset \mathbb{R}$ ( )

g) $\mathbb{Q} \subset \mathbb{R}^*$ ( ) h) $\mathbb{Q}^* \subset \mathbb{R}$ ( ) i) $\mathbb{Z} \subset \mathbb{R}^*$ ( )

j) $\{\sqrt{2}\} \subset (\mathbb{R}-\mathbb{Q})$ ( ) k) $\{\pi\} \subset (\mathbb{R}-\mathbb{Q})$ ( ) l) $\{\sqrt{7}\} \subset \mathbb{R}$ ( )

---

3 - Intervalos (Notações e representações gráficas)

São alguns subconjuntos notáveis em $\mathbb{R}$.

Se **a** e **b** são números reais com **a** menor que **b** ($a < b$), define-se:

1) **Intervalo fechado de extremos a e b** (Notação: [a, b])

Conjuntos dos números reais que vão de a até b.

$[a, b] = \{x \in \mathbb{R} \mid a \leqslant x \leqslant b\}$

2) **Intervalo aberto de extremos a e b** (Notação:]a, b[)

Conjunto dos números reais que estão entre **a** e **b**.

$]a, b[= \{x \in \mathbb{R} \mid a < x < b\}$

3) **Intervalo fechado à esquerda e aberto à direita** (Notação: [a, b[ )

Conjunto dos números reais **a** e os que estão entre **a** e **b**.

$[a, b[= \{x \in \mathbb{R} \mid a \leqslant x < b\}$

4) **Intervalo aberto à esquerda e fechado à direita** (Notação:]a, b])

Conjunto dos números reais **b** e os que estão entre **a** e **b**.

$]a, b] = \{x \in \mathbb{R} \mid a < x \leqslant b\}$

5) Intervalos com um único extremo

$[a, +\infty[= \{x \in \mathbb{R} | x \geq a\}$

$]a, +\infty[= \{x \in \mathbb{R} | x > a\}$

$]-\infty, a] = \{x \in \mathbb{R} | x \leq a\}$

$]-\infty, a[= \{x \in \mathbb{R} | x < a\}$

Outras notações para intervalos:

$[a, b[= [a, b)$; $]a, b] = (a, b]$; $]a, b[= (a, b)$. Este, quando não houver possibilidade de confusão com o par ordenado (a, b),

$]-\infty, a] = (-\infty, a]$; $]-\infty, a[= (-\infty, a)$; $[a, +\infty[= [a, +\infty)$ e $]a, +\infty[= (a, +\infty)$.

32 Em cada caso é dado um subconjunto de $\mathbb{R}$, destacado na reta dos números reais. Representá-lo usando o símbolo de intervalo e também através de uma propriedade característica dos elementos. Olhar o item a:

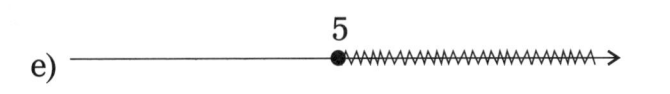

a) $[3, 8] = \{x \in \mathbb{R} | 3 \leq x \leq 8\}$

b) (intervalo de -3 a 2, ambos abertos)

c) (intervalo de $-\frac{2}{3}$ fechado a 5 aberto)

d) (intervalo de $-\sqrt{3}$ aberto a $\frac{7}{2}$ fechado)

e) (a partir de 5, fechado)

f) (a partir de 3, aberto)

g) (até 2, fechado)

h) (até -5, aberto)

i) (intervalo de $-\sqrt{5}$ fechado a $-\sqrt{2}$ aberto)

21

Observar como representar com símbolo de intervalo e através de uma propriedade os seguintes subconjuntos de $\mathbb{R}$.

Exemplo 1:

$[-5, 0[\cup]2, 5] = \{x \in \mathbb{R} | -5 \leqslant x < 0 \vee 2 < x \leqslant 5\}$

Exemplo 2:

$]-\infty, -8] \cup]1, 12[= \{x \in \mathbb{R} | x \leqslant -8 \vee 1 < x < 12\}$

Exemplo 3:

$[-5, 2[\cup]2, 9[= \{x \in \mathbb{R} | -5 \leqslant x < 2 \vee 2 < x < 9\}$ ou
$= \{x \in \mathbb{R} | -5 \leqslant x < 9 \wedge x \neq 2\}$

Exemplo 4:

$[-10, -2[\cup \{4\} \cup]9, +\infty[= \{x \in \mathbb{R} | -10 \leqslant x < -2 \vee x = 4 \vee x > 9\}$

33 Representar usando símbolos de intervalo e através de uma propriedade, os seguintes conjuntos:

a) A]−2, 5] ∪ [15, 19[

b) B [−7, 3[

c) C]−3/7, √3[∪ [9, +∞[

d) D]−9, −7[∪]−7, 4]

34 Representar usando símbolos de intervalos e através de uma propriedade, os seguintes conjuntos:

a) A — reta com −5 (aberto), −1 (fechado), 6 (fechado); hachurado até −5 e de 6 em diante

b) B — reta com 3 (fechado), 5 (fechado), 9 (fechado), 13 (aberto); hachurado de 3 a 5 e de 9 a 13

c) C — reta com −10 (fechado), −4 (fechado), 0 (fechado), 5 (aberto); hachurado de −10 a −4 e de 0 a 5

35 Representar na reta dos números reais os seguintes conjuntos:

a) $A = \{x \in \mathbb{R} \mid -5 \leqslant x \leqslant 9\} \Rightarrow A$ ⟶

b) $B = \{x \in \mathbb{R} \mid -8 < x \leqslant 10\} \Rightarrow B$ ⟶

c) $C = \{x \in \mathbb{R} \mid -3 \leqslant x < 8\} \Rightarrow C$ ⟶

d) $D = \{x \in \mathbb{R} \mid x \leqslant 3\} \Rightarrow D$ ⟶

e) $E = \{x \in \mathbb{R} \mid x > -2\} \Rightarrow E$ ⟶

f) $F = \{x \in \mathbb{R} \mid x < -5 \lor 1 \leqslant x \leqslant 7\} \Rightarrow F$ ⟶

g) $G = \{x \in \mathbb{R} \mid -5 < x \leqslant 4 \lor x \geqslant 8\} \Rightarrow G$ ⟶

Resp:

30 a) V b) F c) V d) V e) V f) F g) V h) V i) V
j) V k) V l) F m) V n) F o) V p) F q) V r) F

31 a) V b) F c) V d) V e) V f) V g) F h) V i) F j) V k) V l) V

32 b) $]-3, 2[= \{x \in \mathbb{R} \mid -3 < x < 2\}$ c) $\left[-\frac{2}{3}, 5\right[= \left\{x \in \mathbb{R} \mid -\frac{2}{3} \leqslant x < 5\right\}$ d) $\left]-\sqrt{3}, \frac{7}{2}\right] = \left\{x \in \mathbb{R} \mid -\sqrt{3} < x \leqslant \frac{7}{2}\right\}$

e) $[5, +\infty[= \{x \in \mathbb{R} \mid x \geqslant 5\}$ f) $]3, +\infty[= \{x \in \mathbb{R} \mid x > 3\}$ g) $]-\infty, 2] = \{x \in \mathbb{R} \mid x \leqslant 2\}$

h) $]-\infty, -5[= \{x \in \mathbb{R} \mid x < -5\}$ i) $[-\sqrt{5}, -\sqrt{2}[= \{x \in \mathbb{R} \mid -\sqrt{5} \leqslant x < -\sqrt{2}\}$

36 Representar na reta dos números reais os seguintes conjuntos:

a) $A =]-\infty, 5] \cup]8, +\infty[$

b) $B =]-7, -5] \cup [5, 9[$

c) $C =]-\infty, -3] \cup \{5\} \cup [7, 13]$

d) $D = \{-5\} \cup [-2, 0[\cup]0, 6]$

e) $E =]-\infty, -3[\cup [-1, 2[\cup]5, 8]$

37 Dados os conjuntos $A = \{x \in \mathbb{R} | -5 \leq x \leq 3\}$ e $B = \{x \in \mathbb{R} | -1 \leq x < 9\}$, determinar o conjunto pedido em cada item. Dar a resposta na forma em que foram dados os conjuntos **A** e **B**. Considerar $\cup = \mathbb{R}$.

Obs.: $\overline{x}$ = complementar de x em $\cup = \mathbb{R}$, isto é: $\overline{x} = \mathbb{R} - x$.

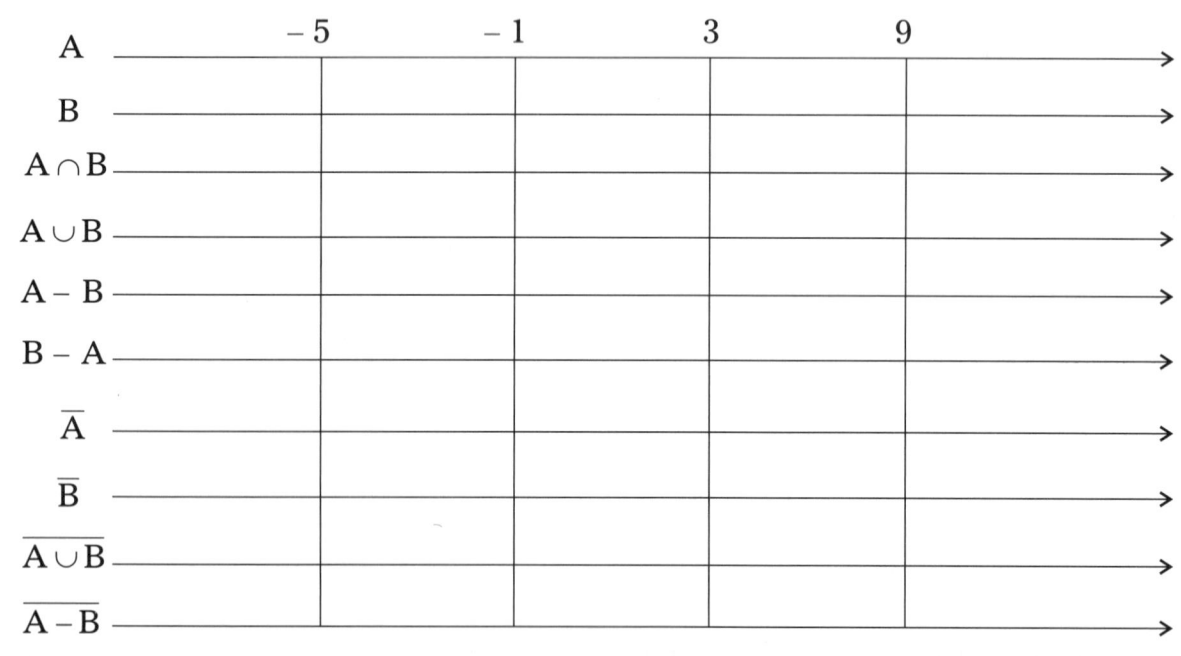

a) $A \cap B =$

b) $A \cup B =$

c) $A - B =$

d) $B - A =$

e) $\overline{A} =$

f) $\overline{B} =$

g) $\overline{A \cup B} =$

h) $\overline{A - B} =$

38 Dados os conjuntos $A = \,]-7, 1\,]\cup[5, 9\,[$ e $B = \,]-\infty, -3\,[\,\cup[1, 9\,]$ e $\cup = \mathbb{R}$, determinar o conjunto pedido em cada item. Dar a resposta na forma em que os conjuntos **A** e **B** foram dados.

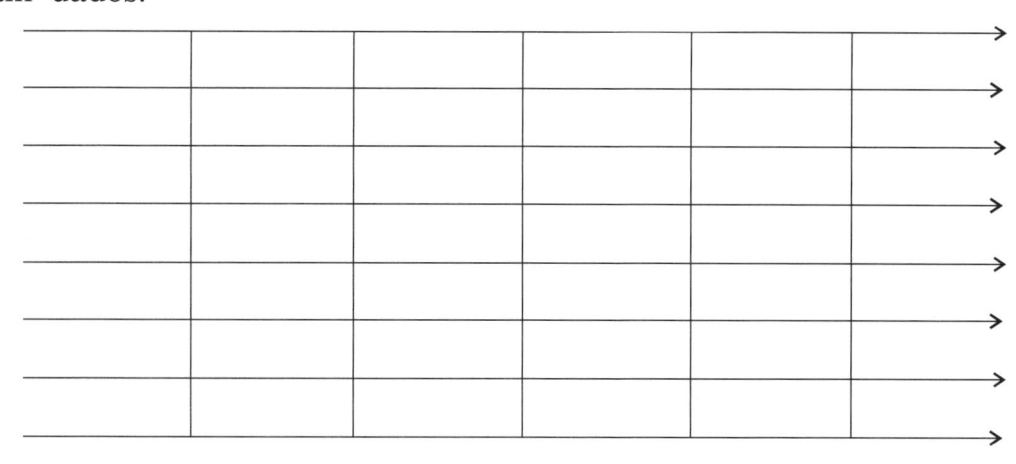

a) $A \cap B =$

b) $A \cup B =$

c) $A - B =$

d) $B - A =$

e) $\overline{A} =$

f) $\overline{B} =$

4 – Plano cartesiano

Consideremos em um plano dois eixos perpendiculares de origem O.

Ox, horizontal, com sentido positivo da esquerda para direita.

Oy, vertical, com sentido positivo de baixo para cima.

Vamos identificar cada ponto **P** deste plano por um par ordenado de números reais (x, y), onde x é o número que corresponde à projeção ortogonal do ponto **P** sobre o eixo Ox e y é o número que corresponde a projeção ortogonal do ponto **P** sobre o eixo Oy.

Estes números **x** e **y** são **chamados coordenadas cartesianas** do ponto P e indicamos por P (x_p, y_p).

Há uma correspondência biunívoca entre os pontos desse plano e os pares ordenados de números reais.

Este plano com um sistema de coordenadas associado a ele é chamado plano cartesiano.

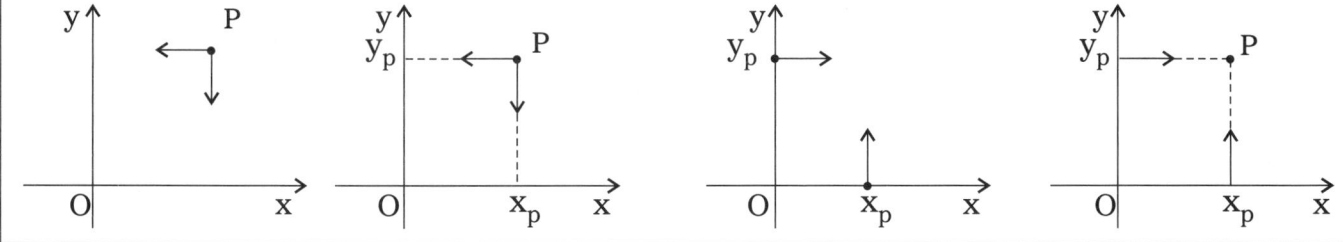

Resp: **33** a) $A = \,]-2, 5]\cup[15, 19[\, = \{x \in \mathbb{R}|-2 < x \leqslant 5 \; \vee \; 15 \leqslant x < 19\}$ b) $B = \,]-\infty, -7]\cup\,]3, +\infty[\, = \{x \in \mathbb{R}|x \leqslant -7 \; \vee \; x > 3\}$

c) $C = \left]-\dfrac{3}{7}, \sqrt{3}\right[\cup[9, +\infty[\, = \left\{x \in \mathbb{R}|-\dfrac{3}{7} < x < \sqrt{3} \; \vee \; x \geqslant 9\right\}$

d) $D = \,]-9, -7[\,\cup\,]-7, -4] = \{x \in \mathbb{R}|-9 < x < -7 \; \vee \; -7 < x \leqslant -4\}$ ou $= \{x \in \mathbb{R}|-9 < x \leqslant -4 \; \wedge \; x \neq -7\}$

34 a) $A = \,]-\infty, -5[\,\cup\{-1\}\cup[6, +\infty[\, = \{x \in \mathbb{R}|x < -5 \; \vee \; x = -1 \; \vee \; x \geqslant 6\}$

b) $B = [3, 5]\cup\{9\}\cup\,]-13, +\infty[\, = \{x \in \mathbb{R}|3 \leqslant x \leqslant 5 \; \vee \; x = 9 \; \vee \; x > 13\}$

c) $C = [-10, -4[\,\cup[0, 5[\,\cup]5, +\infty[\, = \{x \in \mathbb{R}|-10 \leqslant x < -4 \; \vee \; 0 \leqslant x < 5 \; \vee \; x > 5\} =$
$= \{x \in \mathbb{R}|-10 \leqslant x < -4 \; \vee \; (x \geqslant 0 \; \wedge \; x \neq 5)\}$

35 a) −5, 9   b) −8, 10   c) −3, 8   d) 3

e) −2   f) −5, 1, 7   g) −5, 4, 8

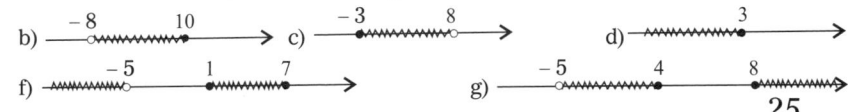

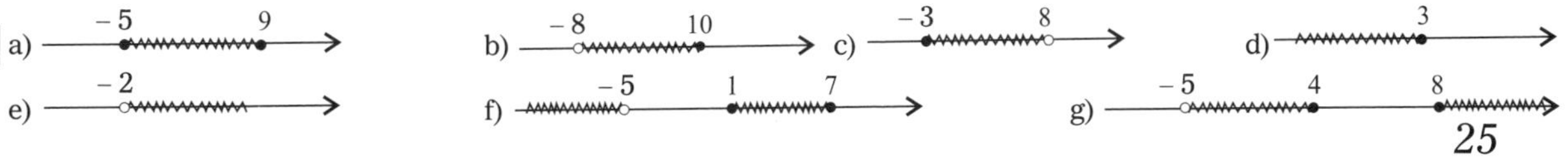

Obs.: 1) Os números x_p e y_p são chamados, respectivamente, **abscissa** e **ordenada** do ponto P. O eixo dos x é chamado **eixo das abscissas** e o eixo dos y é chamado **eixo das ordenadas**.

2) Se a abscissa de um ponto **P** for **a** e a ordenada for **b**, convenciona-se que a notação para este fato será qualquer uma destas:

$x_p = a$ e $y_p = b$ ou $P \hookrightarrow (a,b)$ ou $P = (a,b)$ ou $P(a,b)$

3) Como há uma correspondência biunívoca entre os pontos do plano e os pares ordenados de números reais, dizemos que esta correspondência é um sistema de coordenadas para este plano.

4) Como os eixos são perpendiculares, chamamos este sistema de sistema de coordenadas cartesiano ortogonais.

5) Quem inventou este sistema de identificar os pontos de um plano por um par ordenado de números reais foi o matemático e filósofo **René Descartes (1596 – 1650)** no século XVII. Como a forma latina do nome Descartes era Cartesius, o plano com um sistema de coordenadas associado é chamado, como homenagem a Cartesius, de **plano cartesiano**.

6) **Exemplos de pontos plotados no plano cartesiano**

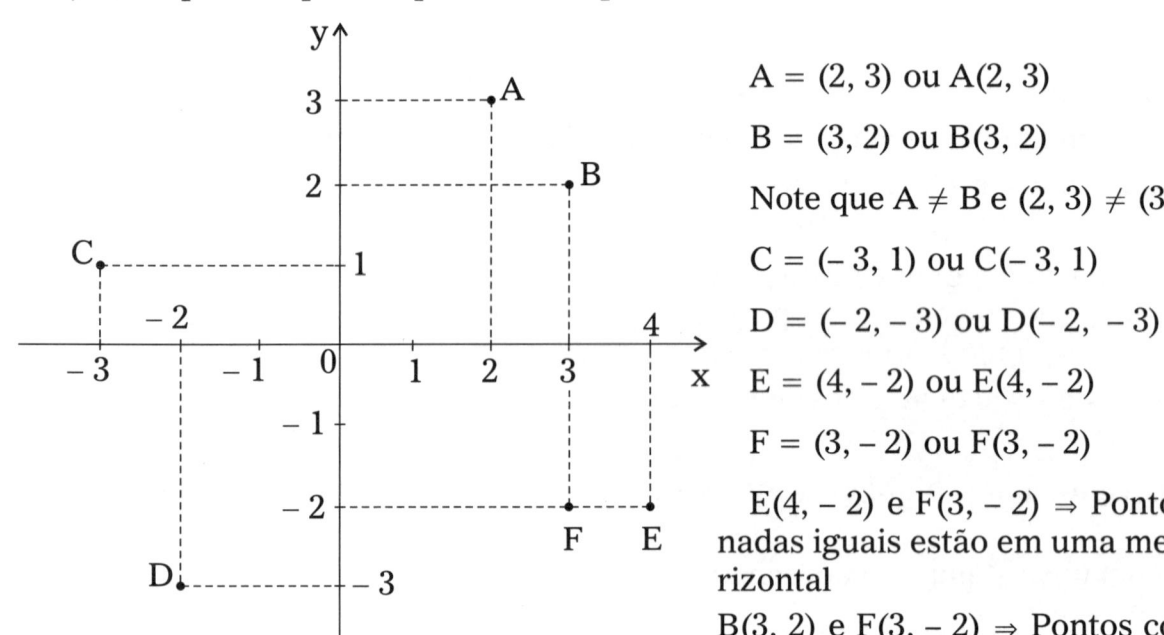

$A = (2, 3)$ ou $A(2, 3)$

$B = (3, 2)$ ou $B(3, 2)$

Note que $A \neq B$ e $(2, 3) \neq (3, 2)$

$C = (-3, 1)$ ou $C(-3, 1)$

$D = (-2, -3)$ ou $D(-2, -3)$

$E = (4, -2)$ ou $E(4, -2)$

$F = (3, -2)$ ou $F(3, -2)$

$E(4, -2)$ e $F(3, -2)$ ⇒ Pontos com ordenadas iguais estão em uma mesma reta horizontal

$B(3, 2)$ e $F(3, -2)$ ⇒ Pontos com abscissas iguais estão em uma mesma reta vertical.

7) Ponto **sobre o eixo das ordenadas** têm **abcissas** iguais a zero e pontos **sobre o eixo das abscissas** têm **ordenadas** iguais a zero.

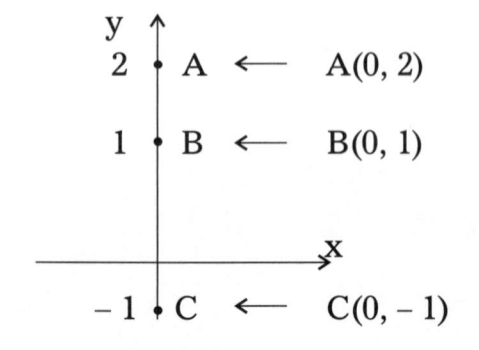

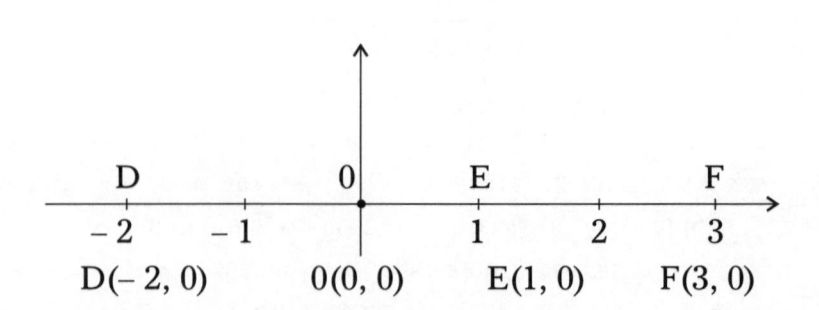

$A(0, 2)$

$B(0, 1)$

$C(0, -1)$

$D(-2, 0)$ $O(0, 0)$ $E(1, 0)$ $F(3, 0)$

39 Identificar com o par ordenado correspondente os seguintes pontos do plano cartesiano, nos casos:

a)

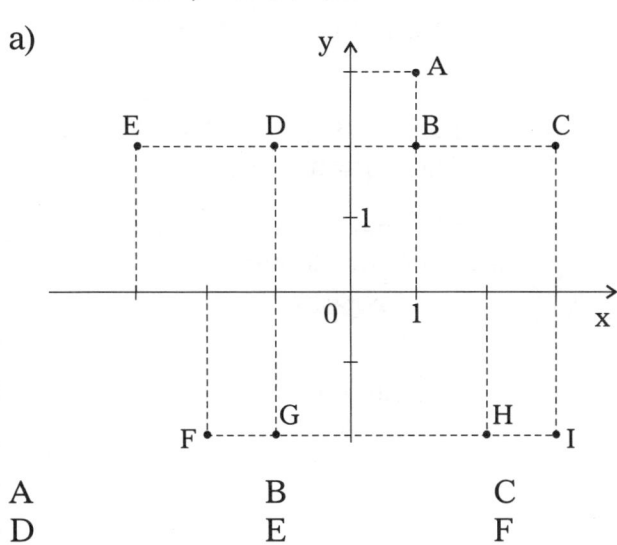

A	B	C
D	E	F
G	H	I

b)

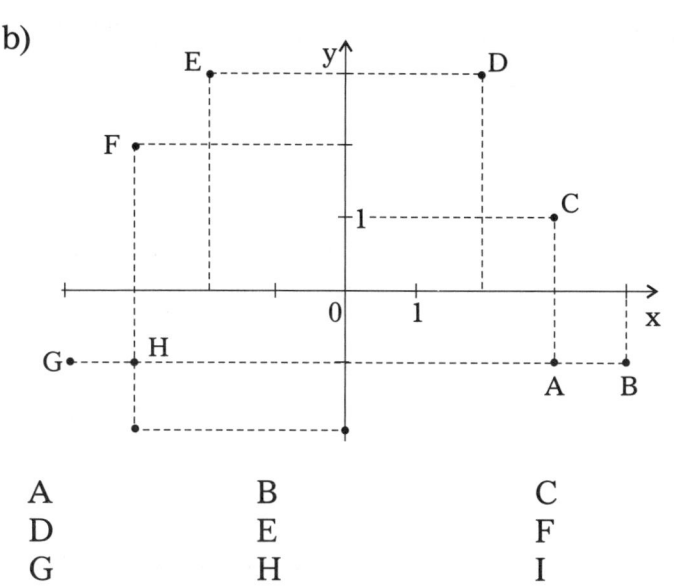

A	B	C
D	E	F
G	H	I

c)

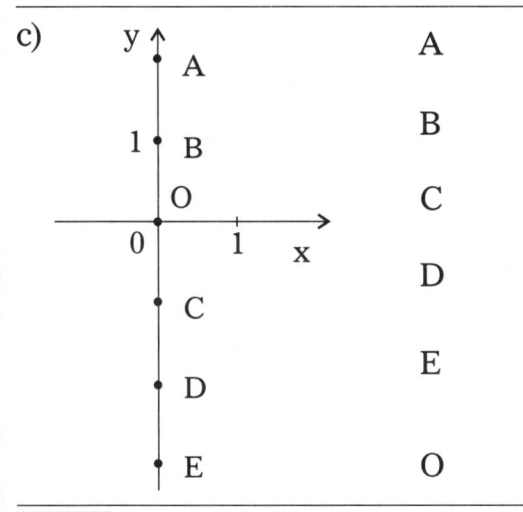

A
B
C
D
E
O

d)

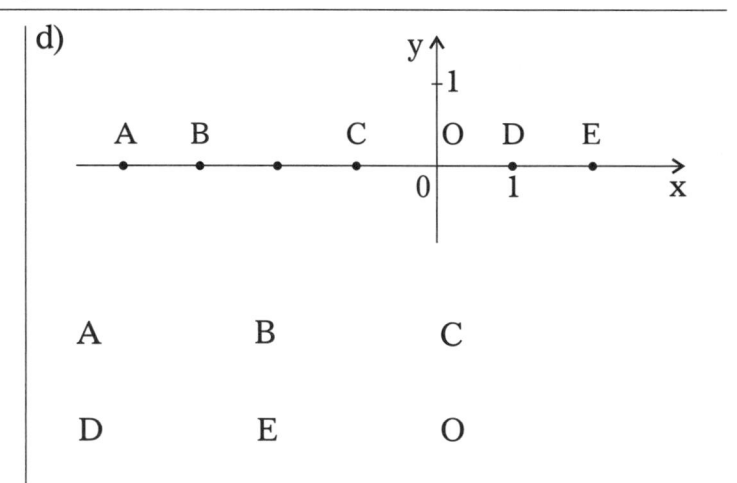

A	B	C
D	E	O

40 Plotar os seguintes pontos no plano cartesiano dado.

a) A (–2, 1), B (5, 1), C (– 1, – 2) e D (6, – 1)

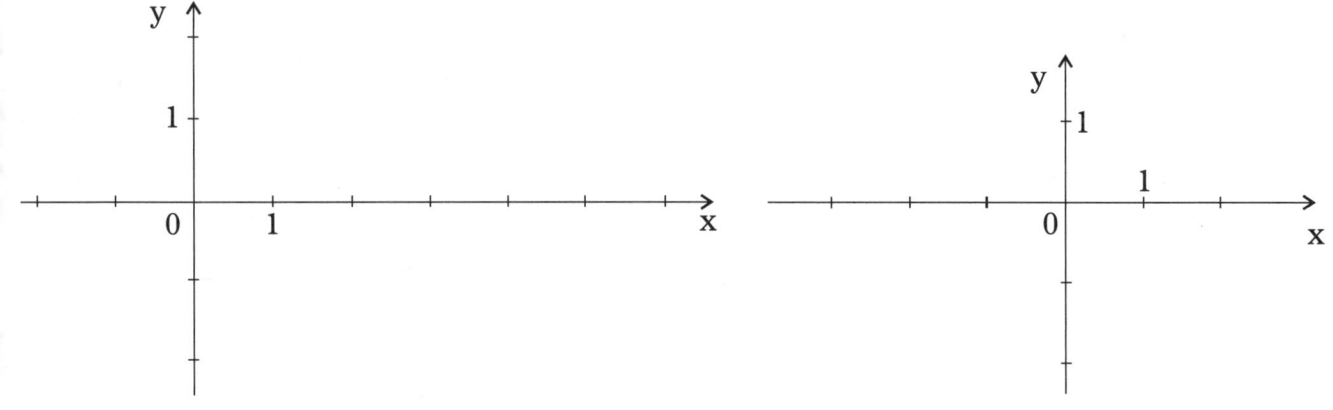

b) A(0,–2), B(–3,0), C(2, 0) e D(0,1)

Resp:

36 a) ⟵⟶ 5 ⟶ 8 ⟶   b) ⟵ –7 – –5 ⟶ 5 ⟶ 9 ⟶   c) ⟵ –3 ⟶ 5 ⟶ 7 ⟶ 13 ⟶

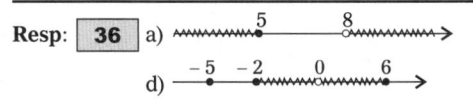

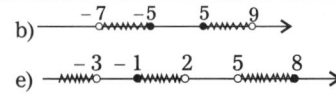

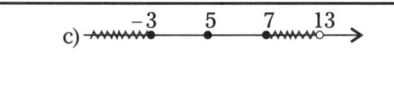

d) ⟵ –5 – –2 ⟶ 0 ⟶ 6 ⟶   e) ⟵ –3 – –1 ⟶ 2 ⟶ 5 ⟶ 8 ⟶

37 a) $\{x \in \mathbb{R} | -1 \leq x \leq 3\}$ b) $\{x \in \mathbb{R} | -5 \leq x < 9\}$ c) $\{x \in \mathbb{R} | -5 \leq x < -1\}$ d) $\{x \in \mathbb{R} | 3 < x < 9\}$ e) $\{x \in \mathbb{R} | x < -5 \lor x > 3\}$

f) $\{x \in \mathbb{R} | x < -1 \lor x \geq 9\}$ g) $\{x \in \mathbb{R} | x < -5 \lor x \geq 9\}$ h) $\{x \in \mathbb{R} | x < -5 \lor x \geq -1\}$

38 a) $]-7,-3[\cup \{1\} \cup [5,9[$ b) $]-\infty, 9]$ c) $[-3,1[$ d) $]-\infty, 7] \cup]1,5[\cup \{9\}$

e) $]-\infty, -7] \cup]1,5[\cup [9, +\infty[$ f) $[-3,1[\cup]9, +\infty[$

1) Gráfico de uma condição

Quando as coordenadas de todos os pontos de um conjunto de pontos plotados em um plano cartesiano, satisfazem uma **determinada condição**, dizemos que este **conjunto de pontos** é o **gráfico desta condição**.

Exemplo 1: Os setores angulares retos determinados pelos eixos são chamados **quadrantes** olhe as condições satisfeitas pelas coodernadas de cada quadrante.

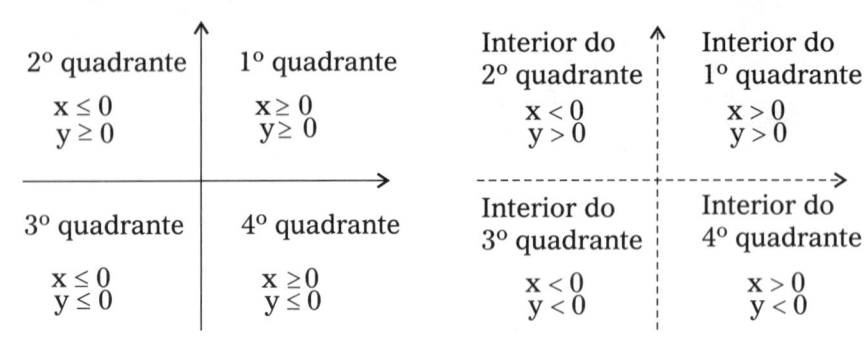

2º quadrante $x \leq 0$ $y \geq 0$	1º quadrante $x \geq 0$ $y \geq 0$	Interior do 2º quadrante $x < 0$ $y > 0$	Interior do 1º quadrante $x > 0$ $y > 0$
3º quadrante $x \leq 0$ $y \leq 0$	4º quadrante $x \geq 0$ $y \leq 0$	Interior do 3º quadrante $x < 0$ $y < 0$	Interior do 4º quadrante $x > 0$ $y < 0$

Exemplo 2: Bissetriz dos quadrantes ímpares (condição: $y = x$ ou $x = y$)

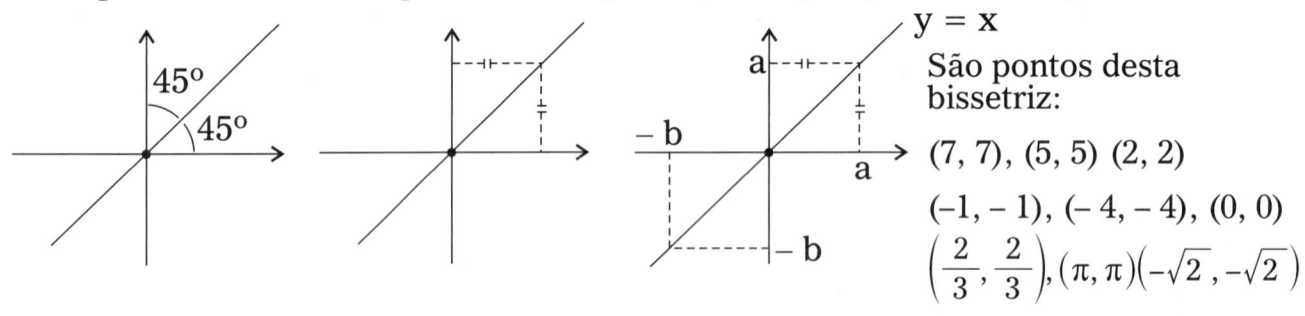

São pontos desta bissetriz:

$(7, 7)$, $(5, 5)$ $(2, 2)$

$(-1, -1)$, $(-4, -4)$, $(0, 0)$

$\left(\dfrac{2}{3}, \dfrac{2}{3}\right), (\pi, \pi)(-\sqrt{2}, -\sqrt{2})$

Exemplo 3: Bissetriz dos quadrantes pares (condição: $y = -x$ ou $x = -y$)

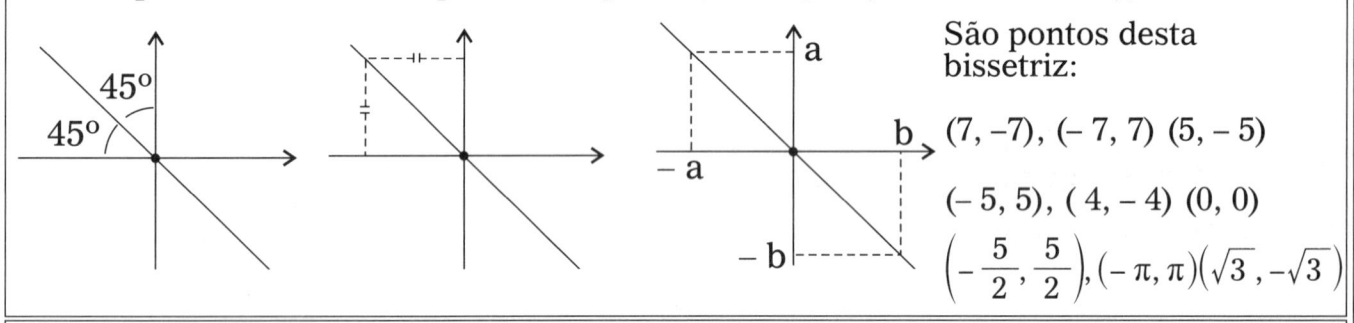

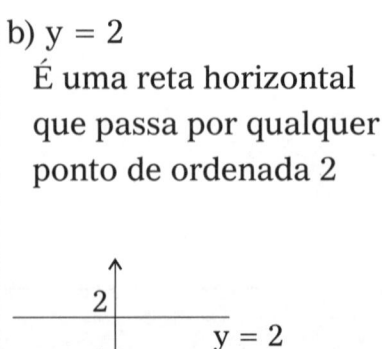

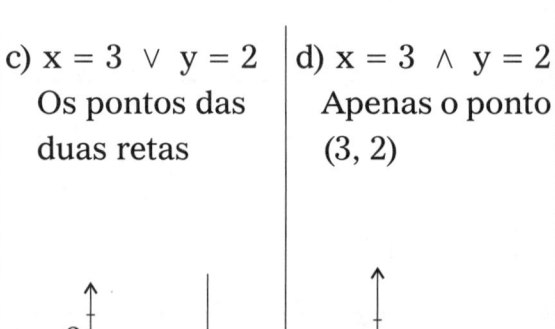

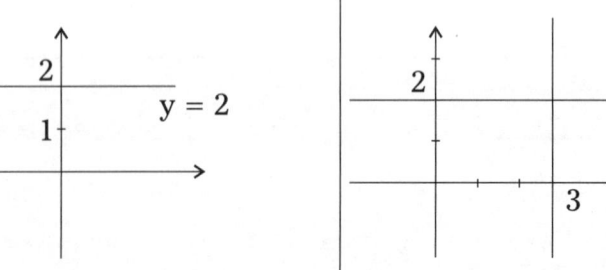

São pontos desta bissetriz:

$(7, -7)$, $(-7, 7)$ $(5, -5)$

$(-5, 5)$, $(4, -4)$ $(0, 0)$

$\left(-\dfrac{5}{2}, \dfrac{5}{2}\right), (-\pi, \pi)(\sqrt{3}, -\sqrt{3})$

Exemplo 4: Representar no plano cartesiano os pontos (x, y) que satisfazem a condição dada, nos casos:

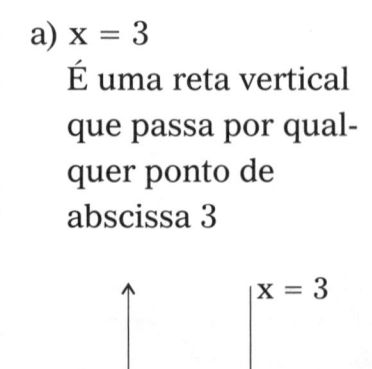

a) $x = 3$
É uma reta vertical que passa por qualquer ponto de abscissa 3

b) $y = 2$
É uma reta horizontal que passa por qualquer ponto de ordenada 2

c) $x = 3 \lor y = 2$
Os pontos das duas retas

d) $x = 3 \land y = 2$
Apenas o ponto (3, 2)

Exemplo 5: Representar no plano cartesiano os pontos (x,y) que safisfazem a condição dada, nos casos:

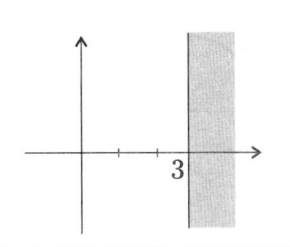

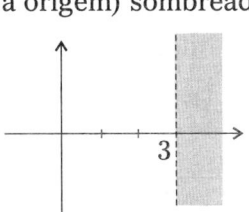

a) $x \geq 3$	b) $x > 3$	c) $y \geq 2$	d) $y > 2$
Semiplano sombreado.	Semiplano aberto (sem a origem) sombreado.	Semiplano sombreado.	Semiplano aberto (sem a origem) sombreado.

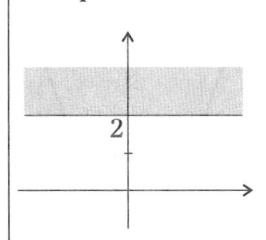

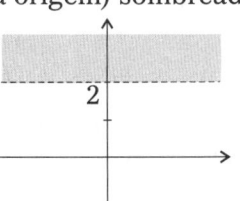

e) $x \geq 3 \land y \geq 2$	f) $x \geq 3 \lor y \geq 2$	g) $y \geq x$	h) $y < x$

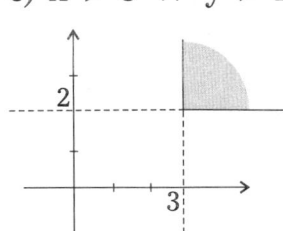

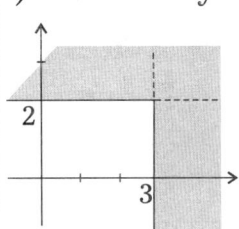

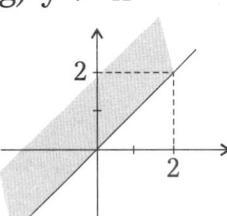

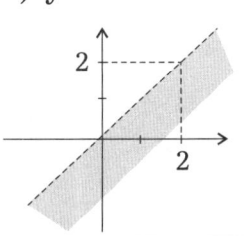

41 Representar no plano cartesiano os pontos (x, y) que satisfazem a condição dada, nos casos:

a) $x = -3$

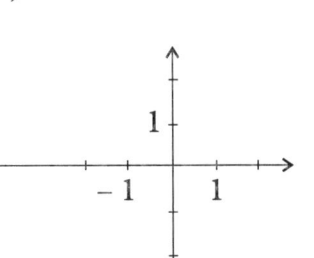

b) $y = -2$

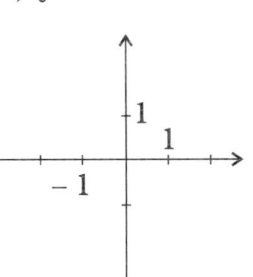

c) $x = -1 \lor x = 2$

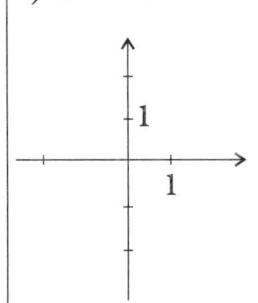

d) $y = -3 \lor y = 2$

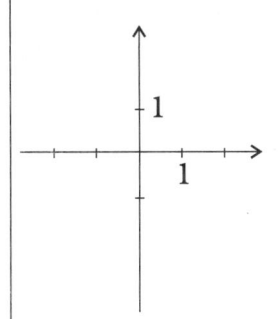

e) $x = 2 \lor y = -3$

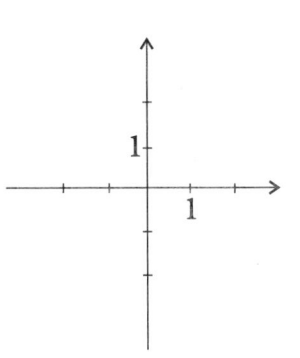

f) $x = -3 \lor y = 1$

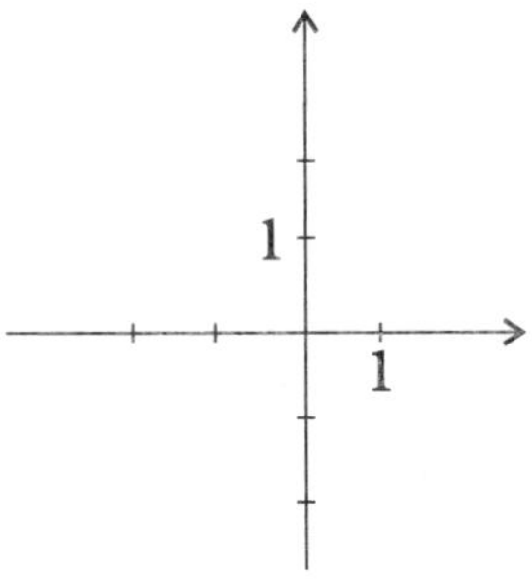

g) $(x + 2)(x - 4) = 0$

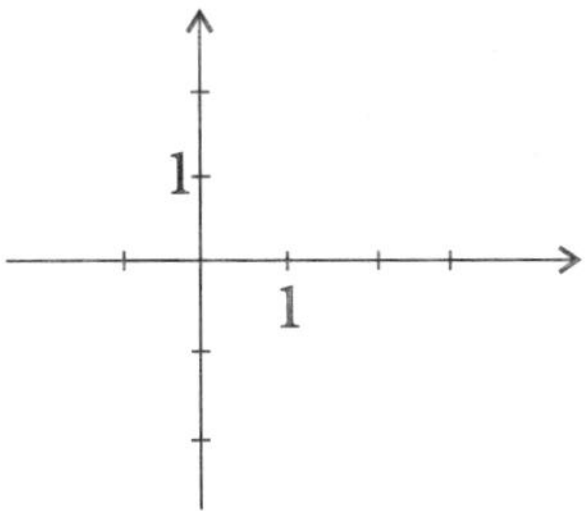

h) $(x - 3)(y + 2) = 0$

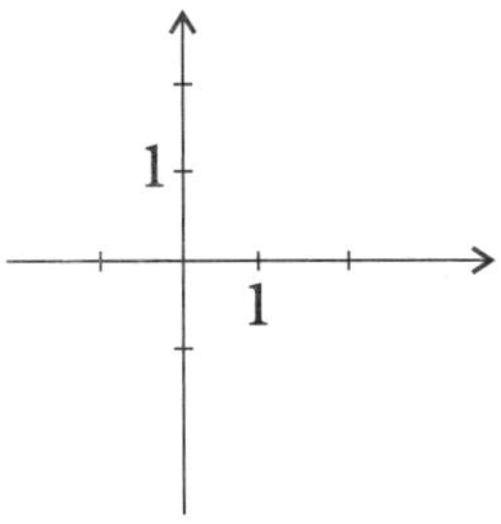

Resp: **39** a) A (1, 3); B(1, 2); C(3, 2); D(– 1, 2); E(– 3, 2); F(– 2, – 2); G(– 1, – 2); H(2, – 2); I(3, – 2)

b) A(3, – 1); B(4, – 1); C(3, 1); D(2, 3); E(– 2, 3); F(– 3, 2); G(– 4, – 1); H(– 3, – 1); I(– 3, – 2)

c) A(0, 2); B(0, 1); C(0, – 1); D(0, – 2); E(0, – 3); O(0, 0)   d) A(– 4, 0); B(– 3, 0); C(– 1, 0); D(1, 0); E(2, 0); O(0, 0)

40 a)   b)

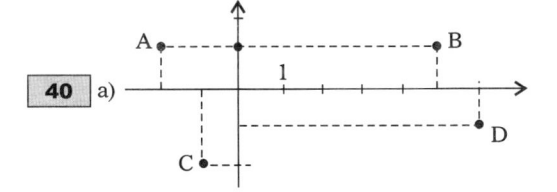

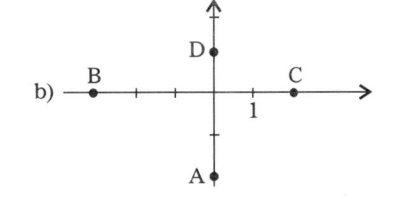

42 Representar no plano cartesiano os pontos (x, y) que satisfazem a condição dada, nos casos:

a) $x \geq 1$

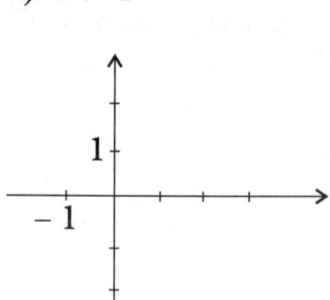

b) $x > -2$

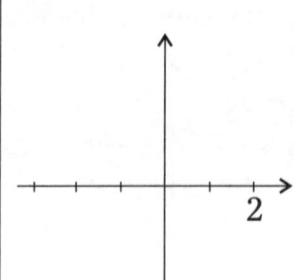

c) $y \geq 1$

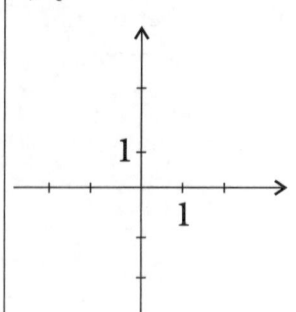

d) $y < 2$

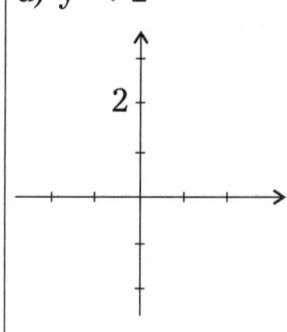

e) $x \geq 2 \land y \geq 1$

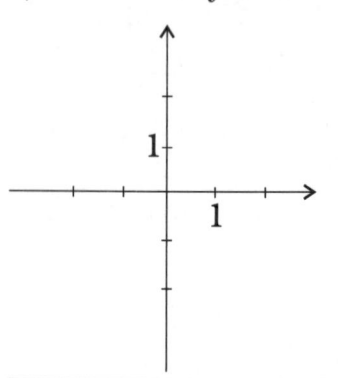

f) $x \leq 2 \lor y \geq 1$

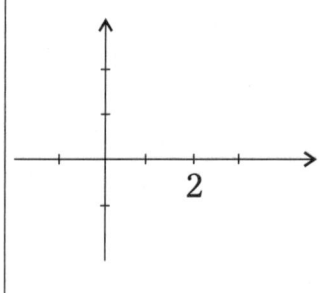

g) $x \geq 2 \land y > 1$

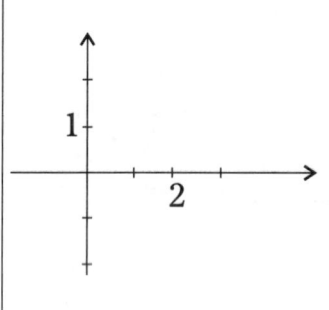

h) $x \geq 2 \lor y > 1$

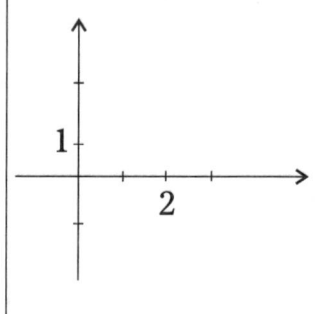

i) $1 \leq x \leq 4 \land 1 \leq y \leq 3$

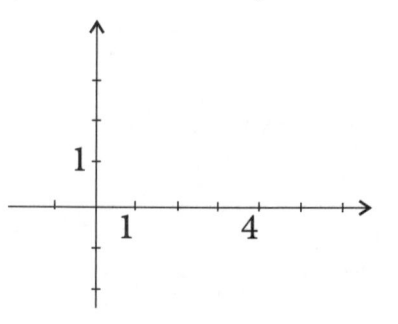

j) $1 \leq x \leq 4 \lor 1 \leq y \leq 3$

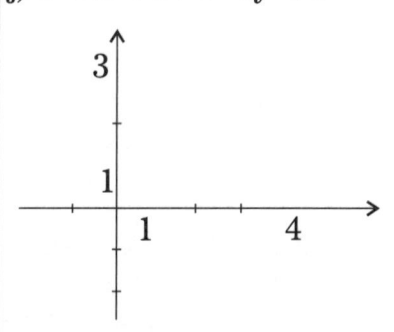

k) $-2 < x \leq 4 \land 1 \leq y < 3$

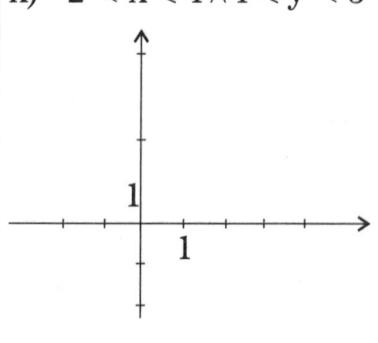

43 Determinar o ponto P, nos casos:

a) P (2a − 1, a − 3) pertence ao eixo das abscissas.

b) P (2a + 6, 5 − a) pertecence ao eixo das ordenadas.

c) P (2a − 9, 12 − a) pertence à bissetriz dos quadrantes ímpares.

d) P (2n + 7, 3n + 3) pertence à bissetriz dos quadrantes pares.

44 Dado o ponto P, considere que P' e P'' são as projeções ortogonais de P, respectivamente, sobre o eixo dos x (eixo das abscissas) e o eixo dos y (eixo das ordenadas), que A, B e C são os simétricos de **P**, respectivamente, em relação ao eixo dos x, ao eixo dos y e à origem do sistema. Determinar P', P'', A, B e C nos casos:

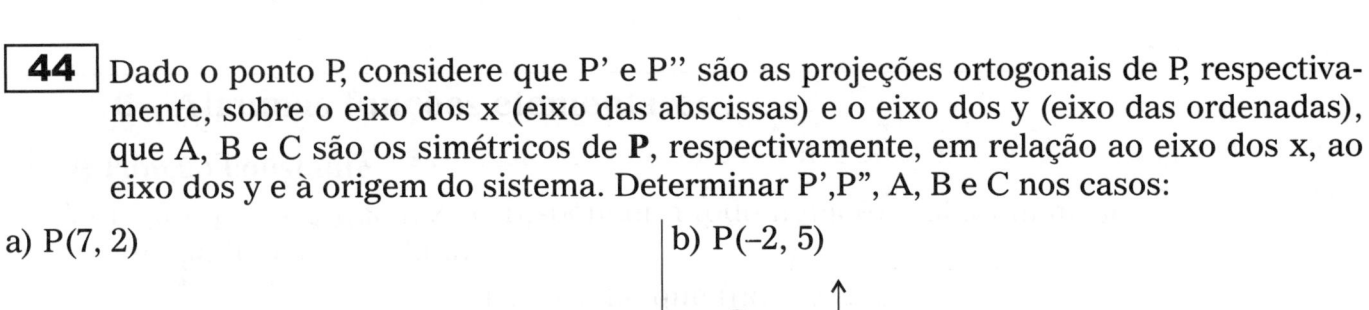

a) P(7, 2)

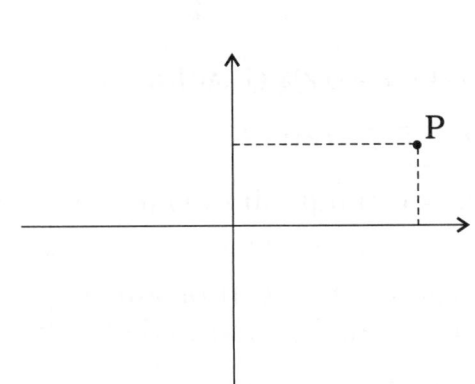

b) P(–2, 5)

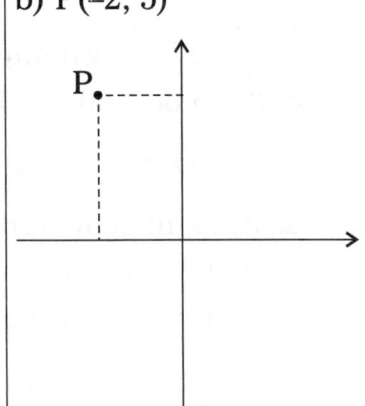

c) P(–3, –8)

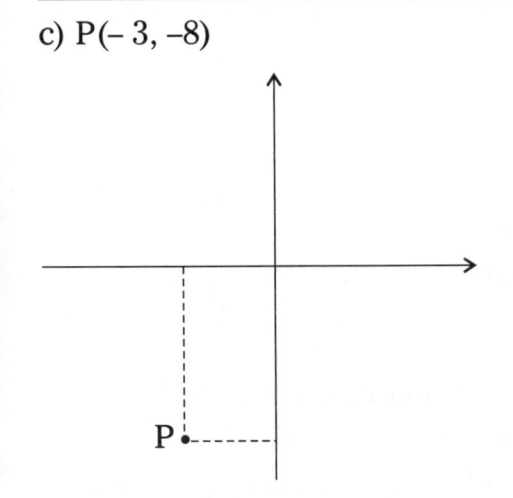

d) $P(13, -\sqrt{11})$

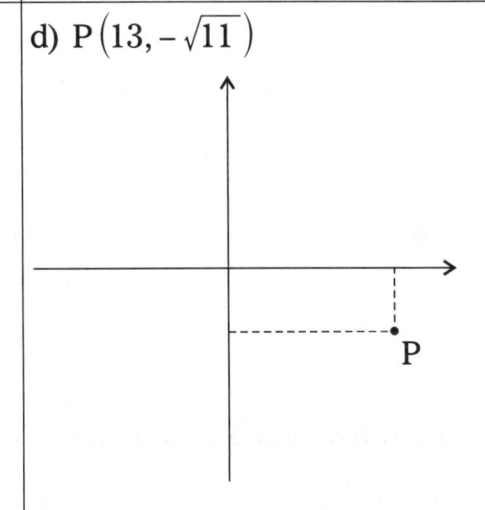

d) P(a, b) do 3º quadrante

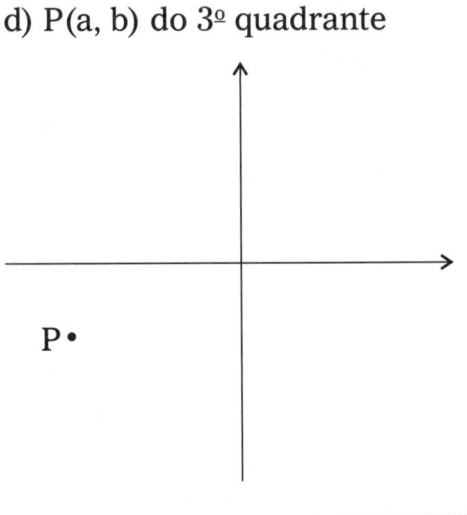

e) P(–a, b) do quarto quadrante

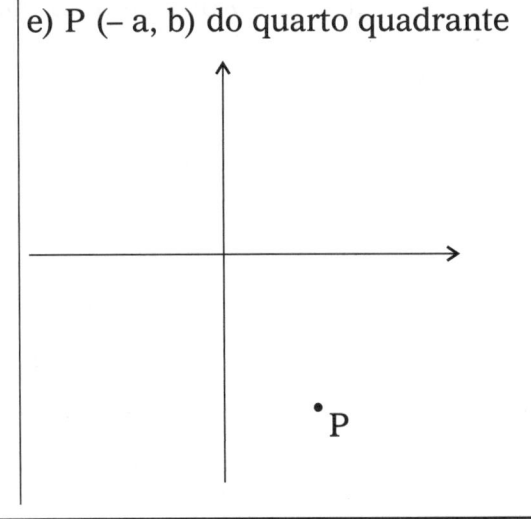

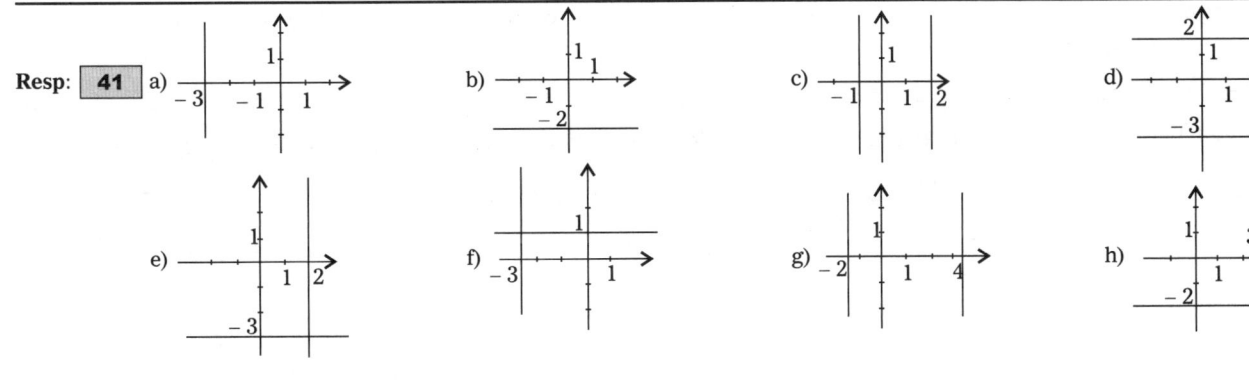

Resp: **41**

5 – Funções

Definição: Dados os conjuntos A e B, não vazios, a relação f de A em B de modo que para todo x de A, existe um único y de B tal que (x, y) pertence a f, é chamada um aplicação de A em B ou uma função definida em A e com as imagens em B.

| f é uma aplicação de A em B <br> f é uma função definida em A e com imagens em **B** | $\Leftrightarrow$ | Todo **x** de **A** forma par de **f** e para cada x de A há um único y de B tal que (x, y) pertence a **f** |

Veja como reconhecer se uma relação de A em B dada através de um diagrama de flechas, é ou não uma aplicação de A em B.

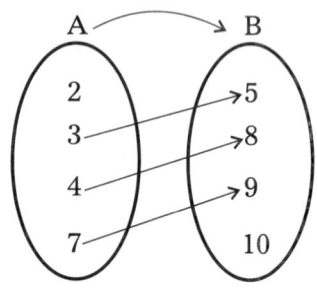

Como o elemento 2 de A não forma par, ele está "sobrando", esta relação **não é uma aplicação de A em B**.	Como o elemento 3 de A tem duas imagens diferentes em B, esta relação **não é uma aplicação de A em B**.	Como todo elemento de A forma par e forma um único par, esta relação **é uma aplicação de A em B**. Note que dois elementos de A podem ter a mesma imagem.

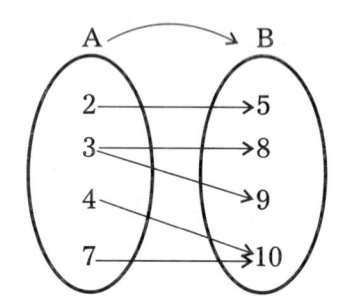

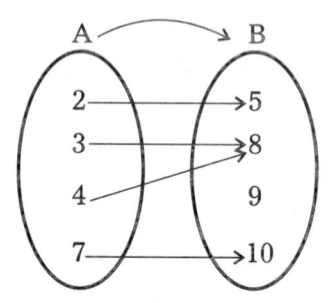

Veja como reconhecer se uma relação de A em B dada através do seu gráfico cartesiano, é ou não uma aplicação de A em B.

A = {1, 2, 3, 4, 5} e B = {1, 2, 3, 4} | A = {1, 2, 3, 4, 5} e B = {1, 2, 3, 4} | A = {1, 2, 3, 4, 5} e B = {1, 2, 3, 4}

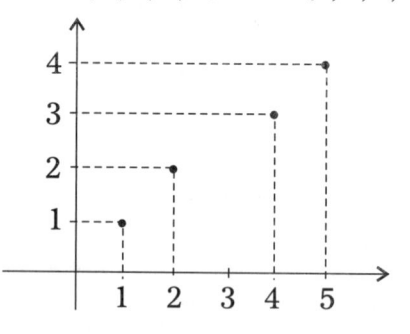

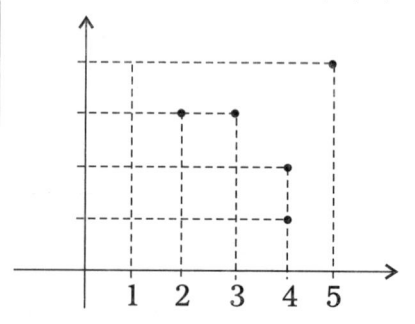

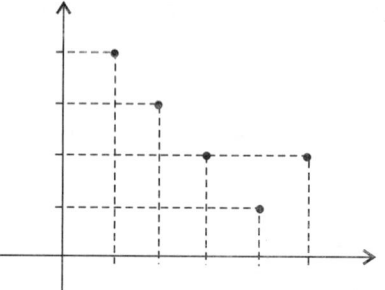

Como o elemento 3 de A não forma par, ele está "sobrando" esta relação **não é uma aplicação de A em B**.	Como o elemento 4 de A tem duas imagens diferentes em B, esta relação **não é uma aplicação de A em B**.	Como todo elemento de A forma par e forma um único par, esta relação **é uma aplicação de A em B**.

Obs.: 1) O domínio D de uma aplicação f de A em B é igual a A, isto é, D = A.

2) O contradomínio CD é o próprio conjunto B de chegada.

3) A imagem Im de uma aplicação (ou função) de A em B é o conjunto $Im = \{y \in B | (x, y) \in f\}$.

4) Se f é uma aplicação de A em B ou f é uma função definida em A e com imagens em B e há uma lei de correspondência que permite obter y do par (x, y) de f, a partir do valor x, indicamos esta lei por y = f(x) e escrevemos:

f : A → B   tal que   y = f(x)   f(x) lê-se "efe de xix"

5) Neste estudo vamos considerar na função f : A → B que A e B são subconjuntos de $\mathbb{R}$. Isto é: A ⊂ $\mathbb{R}$ e B ⊂ $\mathbb{R}$.

6) Uma função f : A → A será **chamada função** sobre **A**.

7) Uma função f está definida quando soubermos o seu domínio D = A, o seu contradomínio CD = B e sua lei de correspondência.

8) Quando uma função f for dada apenas pela sua lei de correspondência, devemos considerar que o seu domínio **D** seja o conjunto de todos os valores de x ∈ $\mathbb{R}$ para os quais seja possível calcular y = f(x) e o seu contradomínio CD será $\mathbb{R}$.

Exemplo 1: Observar a função f de domínio D e contradomínio CD, nos casos.

a) f é dada pelo diagrama de flechas.
D = {1, 2, 3} e CD = {1, 3, 4, 8, 9}

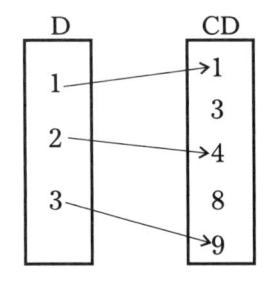

f = {(1, 1), (2, 4), (3, 9)}; Im = {1, 4, 9}

Definindo y = f(x), cada elemento
(x, y) de f é dado por (x, f (x))
y = f (x) ⇒ (x, y) = (x, f (x))
f(1) = 1, f(2) = 4 e f(3) = 9

b) f é dada pela representação cartesiana.
D = CD = {1, 2, 3, 4, 5}

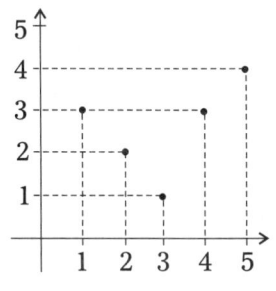

f = {(1, 3), (2, 2), (3, 1), (4, 3), (5, 4)}; Im = {1, 2, 3, 4}

Como y = f(x), note que cada
elemento de f é do tipo (x, f(x))
y = f (x) ⇒ (x, y) = (x, f (x))
f (1) = 3, f (2) = 2, f (3) = 1, f (4) = 3 e f (5) = 4

Resp: **42**

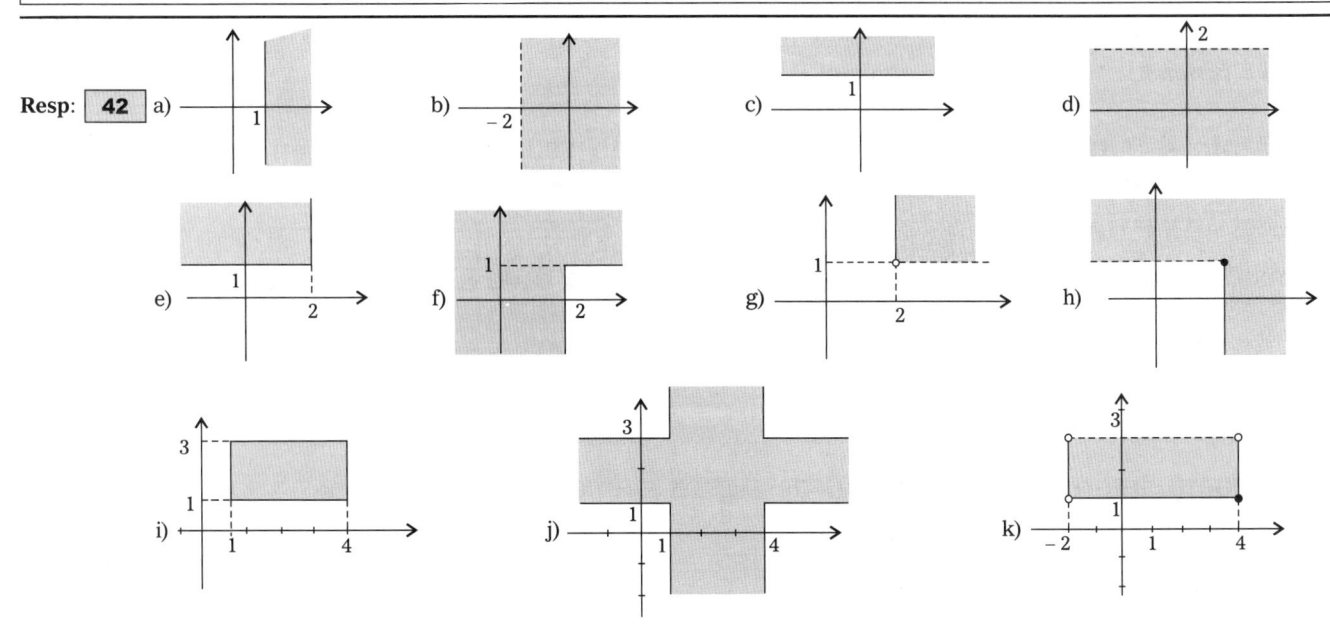

43 a) P(5,0)   b) P(0,8)   c) P(5, 5)   d) P(3, – 3)
b) P' (–2, 0); P'' (0, 5); A (–2, – 5); B (2, 5); C (2, –5)
d) P' (13, 0); P'' $(0, -\sqrt{11})$; A $(13, \sqrt{11})$; B $(-13, -\sqrt{11})$; C $(-13, \sqrt{11})$
f) P' (– a, o); P'' (o, b); A(– a, – b); B (a, b); C (a, – b)

44 a) P'(7, 0); P''(0,2); A(7, – 2); B(–7, 2); C(– 7, – 2)
c) P' (– 3, 0); P'' (0, – 8); A (– 3, 8); B (3, – 8); C (3, 8)
e) P' (a, o); P'' (o, b); A (a, – b); B (–a, b); C (– a, – b)

Exemplo 2: Dados os conjuntos A = {1, 3, 5, 7} e B = {0, 2, 4, 6, 8, 10} e as relações R, S, T, ... de A em B, dadas por enumeração, observar o motivo pelo qual ela é ou não uma função definida em A e com imagens em B.

1) R = {(1, 0), (3, 2), (5, 4), (7, 10)}. É uma função pois todo elemento do conjunto A forma um e apenas um par da relação R.

2) S = {(1, 2), (3, 2), (5, 2), (7, 2)}. É uma função, pelo mesmo motivo do exemplo acima. Todos os antecedentes podem ter a mesma imagem.

3) T = {(1, 2), (3, 4), (3, 6), (5, 8), (7, 10)}. Não é função porque o elemento 3 de A forma dois pares diferentes. Para ser função, todo elemento de A tem que participar e participar de apenas um par.

4) V = {(1, 2), (3, 0), (5, 8)}. Não é função porque o 7 pertence a A e não forma par da relação V. Não pode, para ser função, algum elemento de A não formar par da relação.

Exemplo 3: Para afirmarmos que uma relação, dada por um gráfico cartesiano, é uma função, basta verificarmos se qualquer reta vertical que passa pelos pontos do eixo dos x cujas abscissas pertencem ao conjunto de partida da relação, encontra o gráfico em um e um só ponto.

1) R: A → B com A = $[0, 6]$ e B = $[0, 10]$

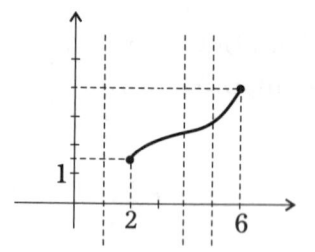

2) R: A → B com A = $[1, 6]$ e B = $[0, 100]$

3) R: A → B com A = $[-2, 6]$ e B = $[0, 70]$

A reta vertical que passa por (1, 0) não corta o gráfico. Isto significa que há elemento de A ($1 \in A$) que não forma par da relação. Então R **não é função**.

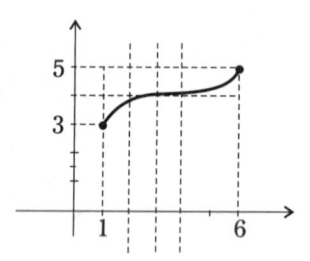

Toda reta vertical que passa pelos pontos de (1, 0) até (6, 0) encontram o gráfico em apenas um ponto. Isto significa que todo elemento de A forma um e apenas um par. R **é função**.

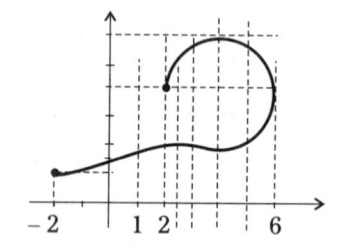

Há retas verticais que encontram o gráfico em 2 pontos. Isto significa que há elementos de A que formam dois pares distintos da relação. R **não é função**.

Exemplo 4: Quando uma função for dada pelo seu domínio D, seu contradomínio CD e uma lei de formação que permite obter a imagem de cada x de D, escrevemos f: D ⟶ CD | y = f(x).

Considere a função f: $\mathbb{R} \to \mathbb{R}$ que faz corresponder a cada x real, o número y = 2x + 1.

Escrevemos: y = f(x), f(x) = 2x + 1, y = 2x + 1 ou

$$y = f(x),\ f(x) = 2x + 1,\ (x, y) \in f \Rightarrow (x, f(x)) \in f \Rightarrow (x, 2x+1) \in f.$$

Olhe como determinar as imagens de alguns elementos do domínio:

$y = f(x) = 2x + 1$. $x = 2 \Rightarrow y = f(2) = 2(2) + 1 = 5 \Rightarrow f(2) = 5 \Rightarrow (2, 5) \in f$

$x = -5 \Rightarrow y = f(-5) = 2(-5) + 1 = -9 \Rightarrow f(-5) = 9 \Rightarrow (-5, -9) \in f$

$x = 100 \Rightarrow y = f(100) = 2(100) + 1 = 201 \Rightarrow f(100) = 201 \Rightarrow (100, 201) \in f$

Exemplo 5: Quando for dada apenas a lei de correspondência de uma função, y = f(x), devemos considerar que o seu domínio D deve ser o conjunto de todos os $x \in \mathbb{R}$ para os quais as operações definidas por f(x) tenham resultados em $\mathbb{R}$, e o seu contradomínio CD deve ser $\mathbb{R}$.

Note que para $y = f(x) = \dfrac{x+3}{x-2}$, x tem que ser diferente de 2 pois para x = 2 obtemos $f(2) = \dfrac{2+3}{2-2} = \dfrac{5}{0}$.

Não se divide por 0. Então não existe f(2).

Para $y = f(x) = \sqrt{x}$, como raiz quadrada de número negativo não é número real, o domínio de $f(x) = \sqrt{x}$ deve ser

$D = \{x \in \mathbb{R} | x \geqslant 0\} = [0, +\infty[= \mathbb{R}_+$

Para $y = f(x) = \dfrac{1}{\sqrt{x}}$, o domínio é $D = \{x \in \mathbb{R} | x > 0\} =]0, +\infty[= \mathbb{R}_+^*$

Para $f(x) = \sqrt{2x+8}$, devemos ter $2x + 8 \geqslant 0 \Rightarrow 2x \geqslant -8 \Rightarrow x \geqslant -4$. Então

$D = \{x \in \mathbb{R} | x \geqslant -4\} = [-4, +\infty[$

Exemplo 6: Dada a lei de correspondência y = f(x) e a imagem de um x do domínio de f, determine o antecedente x e o par em questão, nos casos:

a) y = f(x) = 3x – 7 e y = 29

$y = 3x - 7 \Rightarrow 3x - 7 = 29 \Rightarrow 3x = 36 \Rightarrow \boxed{x = 12} \Rightarrow f(12) = 29 \Rightarrow (12, 29) \in f$

b) $y = \sqrt{2x - 6}$ e $y = 4 \Rightarrow \sqrt{2x-6} = 4 \Rightarrow 2x - 6 = 16 \Rightarrow 2x = 22 \Rightarrow \boxed{x = 11} \Rightarrow$

$f(11) = 4 \Rightarrow (11, 4) \in f$

c) $y = 2x^2 + 5x - 10$ e $y = 2 \Rightarrow 2x^2 + 5x - 10 = 2 \Rightarrow 2x^2 + 5x - 12 = 0 \Rightarrow$

$\Delta = 25 + 8 \cdot 12 = 25 + 96 = 121 \Rightarrow x = \dfrac{-5 \pm 11}{4} \Rightarrow x = -4 \;\lor\; x = \dfrac{3}{2} \Rightarrow$

$f(-4) = 2$ e $f\left(\dfrac{3}{2}\right) = 2 \Rightarrow (-4, 2) \in f$ e $\left(\dfrac{3}{2}, 2\right) \in f$

Exemplo 7: Determinar a lei de correspondência h(x) que fornece a altura de um triângulo equilátero em função do seu lado x. E em seguida determinar a lei s(x) que dá a área deste triângulo em função de x.

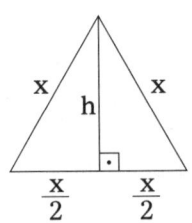

1) Pitágoras $\Rightarrow h^2 + \dfrac{x^2}{4} = x^2 \Rightarrow 4h^2 + x = 4x^2 \Rightarrow 4h^2 = 3x^2 \Rightarrow h^2 = \dfrac{3x^2}{4} \Rightarrow$

$h = \dfrac{x\sqrt{3}}{2} \Rightarrow \boxed{h(x) = \dfrac{x\sqrt{3}}{2}}$

2) Cálculo de s(x) $\Rightarrow s(x) = \dfrac{xh}{2} = \dfrac{1}{2} x \cdot \dfrac{x\sqrt{3}}{2} \Rightarrow \boxed{s(x) = \dfrac{x^2 \sqrt{3}}{4}}$

Note que ambas têm domínio $\mathbb{R}_+^*$

Exemplo 8: A altura de um trapézio mede x, a sua base menor mede 2x e a sua base maior mede 24. Determinar a lei de correspondência s(x) que dá a área do trapézio em função de x.

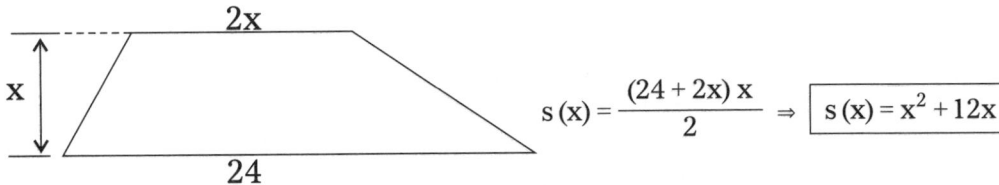

$s(x) = \dfrac{(24 + 2x)x}{2} \Rightarrow \boxed{s(x) = x^2 + 12x}$

Note que o domínio desta função é $D = \{x \in \mathbb{R} | 0 < x < 12\}$

Exemplo 9: Um lado de um triângulo mede 12 e a altura relativa a ele mede 8 e um retângulo com um lado sobre o lado dado está inscrito neste triângulo.

Sendo x medida do lado do retângulo sobre o lado dado do triângulo, determinar a lei h(x) que dá o lado adjacente ao de x em função x e também a lei s(x) que dá a área do retângulo em função de x.

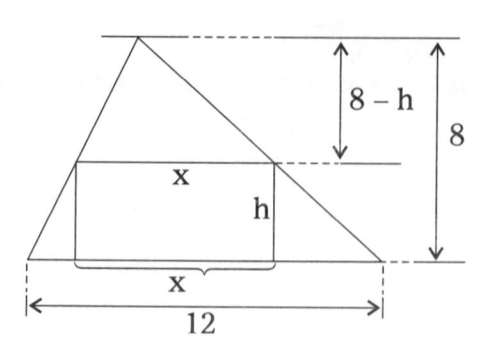

1) Por semelhança, obtemos:

$$\frac{8-h}{8} = \frac{x}{12} \Rightarrow \frac{8-h}{2} = \frac{x}{3} \Rightarrow$$

$$2x = 24 - 3h \Rightarrow 3h = -2x + 24 \Rightarrow$$

$$h = -\frac{2}{3}x + 8 \Rightarrow \boxed{h(x) = -\frac{2}{3}x + 8}$$

2) Cálculo de s(x)

$$s(x) = x \cdot h \Rightarrow s(x) = x\left(-\frac{2}{3}x + 8\right) \Rightarrow \boxed{s(x) = -\frac{2}{3}x^2 + 8x}$$

Note que ambas tem domínio $D = \{x \in \mathbb{R} | 0 < x < 12\}$

45 Dada uma relação de A em B através do diagrama de flechas, dizer se ela é uma aplicação (função) de A em B, ou não, nos casos:

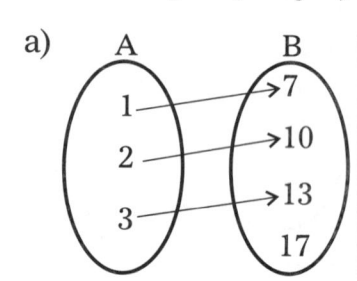

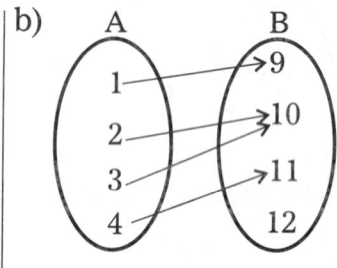

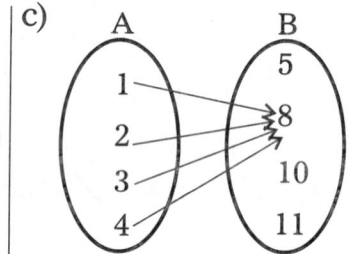

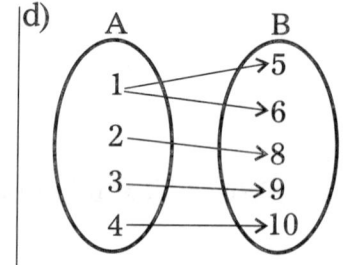

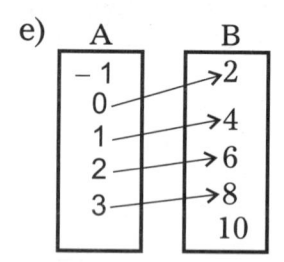

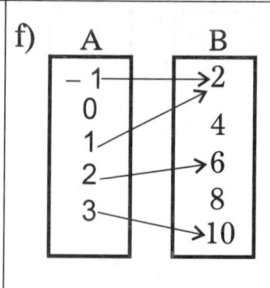

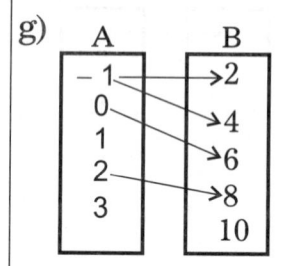

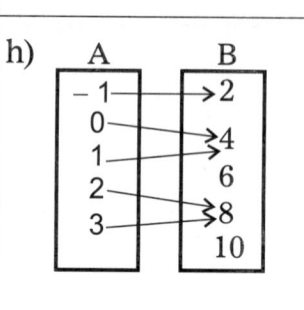

46 Dada uma relação de A = {1, 2, 3, 4, 5} em B = {−1, 0, 1, 2, 3, 4, 5, 6, 7, 8}, dada através de seu gráfico cartesiano, dizer se é ou não uma função definida em A e com imagens em B, nos casos:

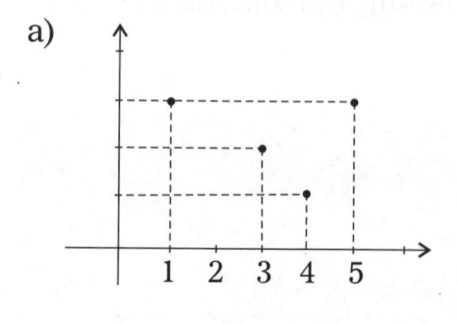

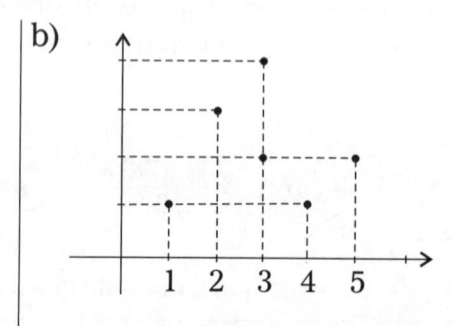

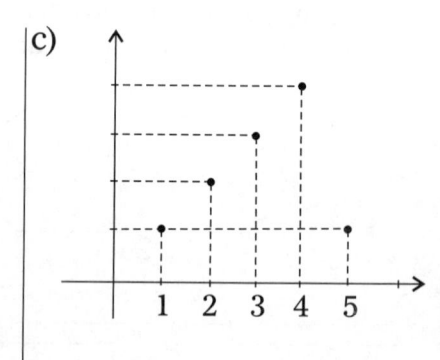

47 Dados os conjuntos A = {−2, −1, 0, 1, 2} e B = {3, 5, 7, 9, 11, 13, 15, 17} e uma relação de A em B, pela enumeração de seus elementos, dizer se a relação dada é ou não uma função definida em A e com imagens em B, nos casos:

a) $R = \{(-2,3), (-1,5), (1,7), (2,9)\}$

b) $R = \{(-2,17), (-1,15), (0,13), (1,11), (2,9)\}$

c) $R = \{(-2,3), (-1,5), (0,7), (1,9), (2,11), (1,13)\}$

d) $R = \{(-2,7), (-1,7), (0,9), (1,3), (2,5)\}$

e) $R = \{(-2,5), (-1,5), (0,5), (1,5), (2,5)\}$

f) $R = \{(1,3), (1,5), (1,7), (1,9), (1,11), (1,13), (1,15), (1,17)\}$

48 Dados os conjuntos A e B e uma relação de A e B representada graficamente no plano cartesiano, dizer se a relação é ou não uma aplicação de A em B (ou uma função definida em A e com imagens em B), nos casos:

a) R: A ⟶ B
   A = [1, 5],   B = [−1, 20]

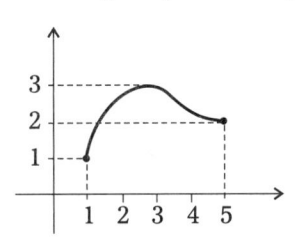

b) R: A ⟶ B
   A = [1, 5],   B = [−5, 20]

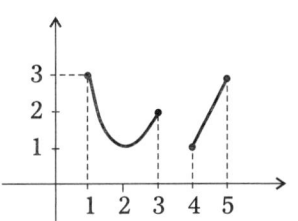

c) R: A ⟶ B
   A = [1, 5],   B = $\mathbb{R}$

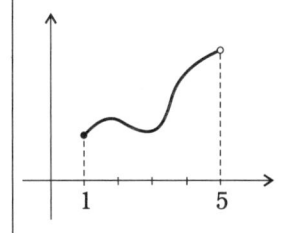

d) A = [1, 4], B = $\mathbb{R}$

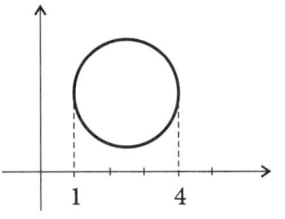

e) A = [1, 5], B = $\mathbb{R}$

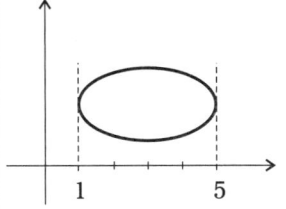

f) A = [1, 6], B = $\mathbb{R}$

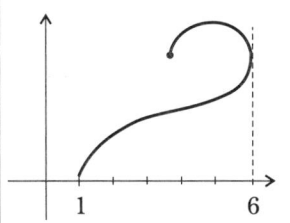

g) A = $\mathbb{R}$, B = $\mathbb{R}$

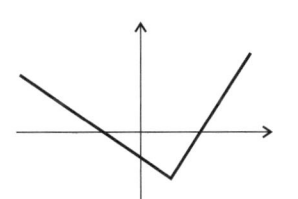

h) A = B = $\mathbb{R}$

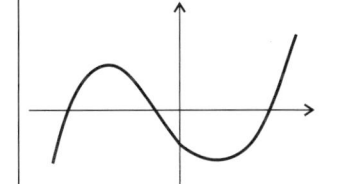

i) A = B = $\mathbb{R}$

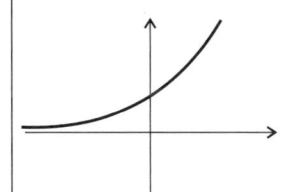

49 Considere a função f: ℝ → ℝ, definida por y = f(x) = 6x – 5. Determinar a imagem do antecedente dado e o par correspondente de f, nos casos:

a) x = 3

b) x = – 7

c) x = 0

d) $x = \dfrac{5}{6}$

e) $x = -\dfrac{2}{3}$

f) $x = \dfrac{5}{3}$

g) x = – 2a

h) x = 2a + 3

50 Considere a função definida por f(x) = 6x + 7, dada a imagem y = f(x), determinar o antecedente x e o par correspondente, nos casos:

a) f(x) = 13

b) f(x) = 25

c) f(x) = – 29

d) f(x) = 0

e) f(x) = 7

f) f(x) = 3

g) f(x) = 12a + 1

h) f(x) = – 6a + 19

i) f(x) = 3a + 4

51 Dada a função f(x) = $2x^2 + 7x - 4$, determinar o que se pede, nos casos:

a) f(3)

b) f(1)

c) f(0)

d) f(–2)

e) f(–4)

f) $f\left(\frac{1}{2}\right)$

g) f(2a – 1)

h) f(1 – a)

i) x tal que f(x) = –7

j) x tal que f(x) = 56

k) x tal que f(x) = $2a^2 + 15a + 18$

Resp: **45** a) Sim b) sim c) Sim d) Não e) Não f) Não g) Não h) Sim

46 a) Não b) Não c) Sim **47** a) Não b) Sim c) Não d) Sim e) Sim f) Não

48 a) Sim b) Não c) Não d) Não e) Não f) Não g) Sim h) Sim i) Sim

52 Determinar o domínio das seguintes funções:

a) $f(x) = 2x^2 - 3x + 1$

b) $f(x) = \dfrac{x+1}{x-2}$

c) $f(x) = \sqrt{x}$

d) $f(x) = \dfrac{3x-1}{x^2 - 4x + 3}$

e) $y = \dfrac{3x^2 - 7x - 21}{x^2 - 2x - 15}$

f) $y = \sqrt{2x - 16}$

g) $y = \sqrt{21 - 3x}$

h) $y = \dfrac{2x^2 - 3}{2x - 10}$

i) $y = \dfrac{2x - 1}{\sqrt{x^2 + 4}}$

53 Dada a função $f(x) = \dfrac{2x - 7}{\sqrt{2x - 5}}$, determinar o que se pede:

a) $f(7)$

b) $f\left(\dfrac{9}{2}\right)$

c) $f(4)$

d) $f(15)$

e) x tal que $f(x) = -1$

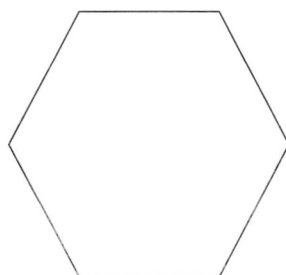

54 Considere um hexágono regular de lado x. Determinar, em função de x, a diagonal menor d, a diagonal maior D e área S deste hexágono.

55 Como mostra a figura, um retângulo com um lado x está inscrito em um triângulo com um lado de 12 e altura relativa com 6. Determinar o outro lado **b** do retângulo e a sua área **s**, em função de x.

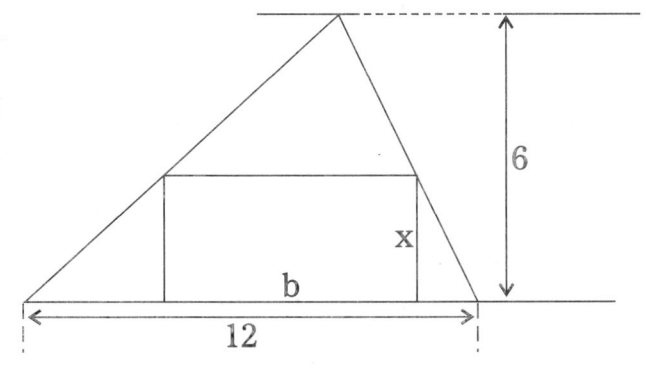

56 Na figura temos um retângulo com um lado x sobre a base maior de um trapézio, inscrito neste trapézio. Se as bases do trapézio medem 14 e 6 e a altura 16, determinar o lado adjacente ao x do retângulo e a sua área em função de x.

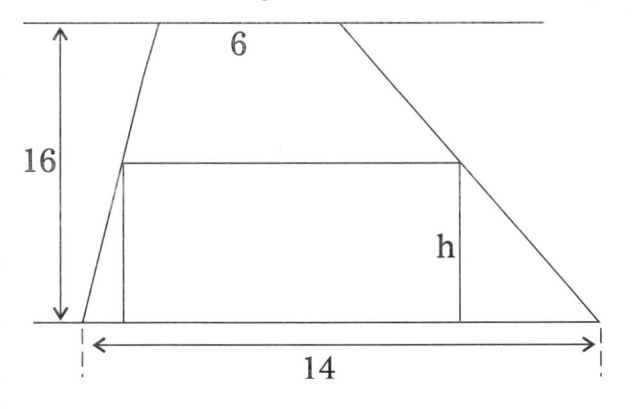

Resp: **49** a) $y = 13$, $(3, 13)$ b) $y = -47$, $(-7, -47)$ c) $y = -5$, $(0, -5)$ d) $y = 0$, $\left(\frac{5}{6}, 0\right)$ e) $y = -9$, $\left(-\frac{2}{3}, -9\right)$

f) $y = 5$, $\left(\frac{5}{3}, 5\right)$ g) $y = -12a - 5 \Rightarrow (-2a, -12a - 5)$ f) $y = 12a + 13$, $(2a + 3, 12a + 13)$

50 a) $x = 1$, $(1, 13)$ b) $x = 3$, $(3, 25)$ c) $x = -6$, $(-6, -29)$ d) $x = \frac{-7}{6}$, $\left(-\frac{7}{6}, 0\right)$ e) $x = 0$, $(0, 7)$

f) $x = -\frac{2}{3}$, $\left(-\frac{2}{3}, 3\right)$ g) $x = 2a - 1$, $(2a - 1, 12a + 1)$ h) $x = -a + 2$, $(-a + 2, -6a + 19)$ i) $x = \frac{a-1}{2}$, $\left(\frac{a-1}{2}, 3a + 4\right)$

51 a) 35   b) 5   c) −4   d) −10   e) 0   f) 0   g) $8a^2 + 6a - 9$ h) $2a^2 - 11a + 5$

i) $x = -3 \vee x = -\frac{1}{2}$ j) $x = 4 \vee x = -\frac{15}{2}$ k) $x = -a - \frac{11}{2}$

57 Dado o gráfico de uma função f: ℝ ⟶ ℝ, dizer se é positivo (> 0), negativo (< 0) ou igual a zero o valor f(x), imagem de x, nos casos:

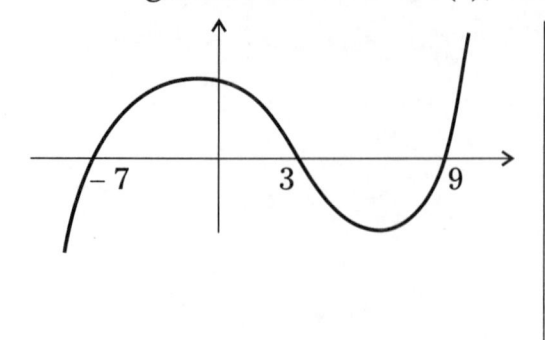

a) f(5)   b) f(12)   c) f(−10)

d) f(9)   e) f(−1)   f) f(1)

g) f(3)   h) f(−5)   i) f(−7)

j) f(−100)   k) f(0)   l) f(500)

58 Dado o gráfico de uma f: ℝ ⟶ ℝ, dizer se é positivo (>0), negativo (< 0) ou nulo (=0) o produto indicado, nos casos:

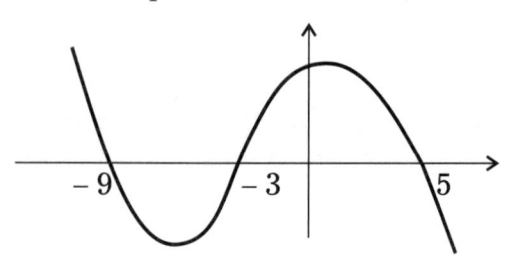

a) $f(1) \cdot f(2)$ b) $f(-4) \cdot f(-2)$

c) $f(-11) \cdot f(0)$ d) $f(-20) \cdot f(20)$

e) $f(-3) \cdot f(4)$ f) $f(-8) \cdot f(6)$

g) $f(-9) \cdot f(1)$ h) $f(5) \cdot f(1000)$

i) $f(-2) \cdot f(6)$ j) $f(-6) \cdot f(3)$

k) $f(-4) \cdot f(1) \cdot f(6)$ l) $f(-12) \cdot f(0) \cdot f(6)$ m) $f(-15) \cdot f(1) \cdot f(7)$

59 Foi dada uma função f: ℝ ⟶ ℝ e ao substituir x por 2a − 1 obtém-se f(x) = f(2a − 1) = 6a − 1. Determinar o que se pede, nos casos:

a) f(7)

b) f(−11)

c) f(0)

d) f(b)

60 Sabe-se que $f: \mathbb{R} \rightarrow \mathbb{R}$ e $y = f(x)$. Determinar:

a) $f(a)$, sabendo que $f(2b + 3) = 4b - 5$

b) $f(b)$, sabendo que $f(-3a + 1) = -6a - 5$

c) $f(x)$, sabendo que $f(-5a + 3) = -15a + 5$

---

2) Variação de sinal de uma função dado o seu gráfico

Dado o gráfico de uma função f, $y = f(x)$, estudar a variação do sinal de f é dizer para quais valores de x, y é negativo, para quais valores de x, y é zero e para quais valores de x, y é positivo.

Obs.: Os números indicados sobre o eixo dos x (as abscissas dos pontos onde o gráfico corta o eixo das abscissas) são chamados raízes ou zeros da função. São os valores de x que tem imagem $y = 0$.

Exemplos

1) $y = f(x)$

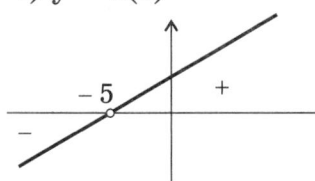

$\begin{cases} x = -5 \iff f(x) = 0 \\ x < -5 \iff f(x) < 0 \\ x > -5 \iff f(x) > 0 \end{cases}$

2) $y = f(x)$

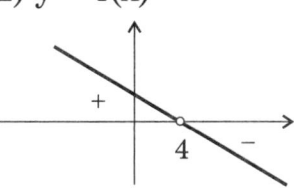

$\begin{cases} x = 4 \iff y = 0 \\ x < 4 \iff y > 0 \\ x > 4 \iff y < 0 \end{cases}$

3) $y = f(x)$

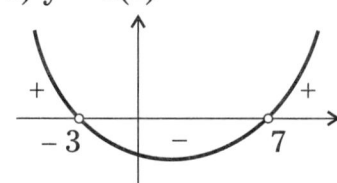

$\begin{cases} x = -3 \lor x = 7 \iff y = 0 \\ -3 < x < 7 \iff y < 0 \\ x < -3 \lor x > 7 \iff y > 0 \end{cases}$

4) $y = g(x)$

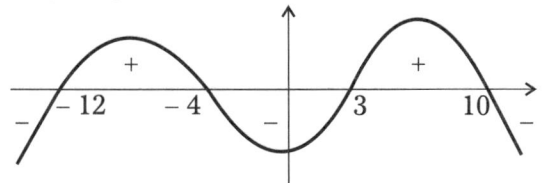

$\begin{cases} g(x) = 0 \iff x = -12 \lor x = -4 \lor x = 3 \lor x = 10 \\ g(x) < 0 \iff x < -12 \lor -4 < x < 3 \lor x > 10 \\ g(x) > 0 \iff -12 < x < -4 \lor 3 < x < 10 \end{cases}$

Resp: **52** a) $D = \mathbb{R}$ b) $D = \mathbb{R} - \{2\}$ c) $D = \mathbb{R}_+$ d) $D = \mathbb{R} - \{1, 3\}$ e) $D = \mathbb{R} - \{5, -3\}$ f) $D = \{x \in \mathbb{R} | x > 8\}$ ou $D = [8, +\infty[$
g) $D = \{x \in \mathbb{R} | x \leq 7\}$ ou $D =]-\infty, 7]$ h) $[5, +\infty[$ i) $D = \mathbb{R}$ **53** a) $f(7) = \dfrac{7}{2}$ b) $f\left(\dfrac{9}{2}\right) = 1$
c) $f(4) = \dfrac{\sqrt{3}}{3}$ d) $f(15) = \dfrac{23}{5}$ e) $x = 3$ **54** $d(x) = x\sqrt{3}$, $D(x) = 2x$ e $S(x) = \dfrac{3}{2}\sqrt{3}\, x^2$
55 $b(x) = 12 - 2x$, $S(x) = 12x - 2x^2$ Note que $D = \{x \in \mathbb{R} | 0 < x < 6\}$
56 $h(x) = -2x + 28$ e $S(x) = -2x^2 + 28x$ Note que $D = \{x \in \mathbb{R} | 6 < x < 14\}$

61 Dado o gráfico de uma função f: ℝ ⟶ ℝ, y = f(x), discutir o sinal de f, nos casos:

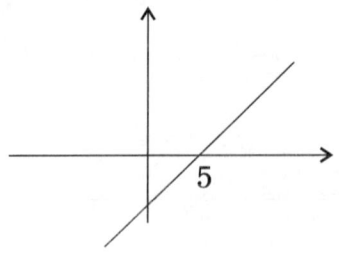

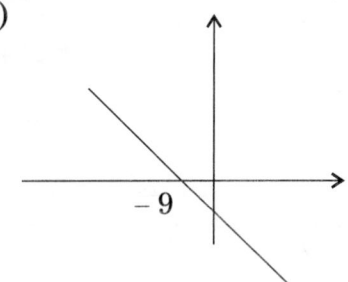

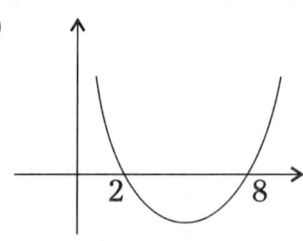

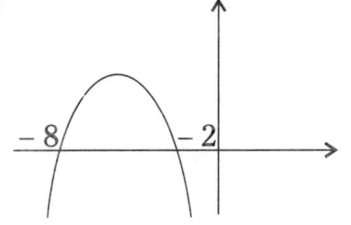

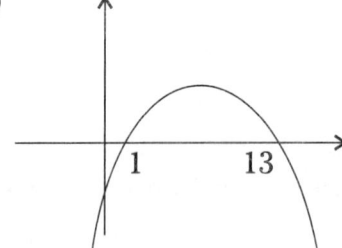

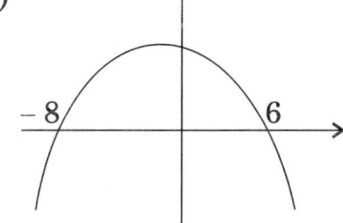

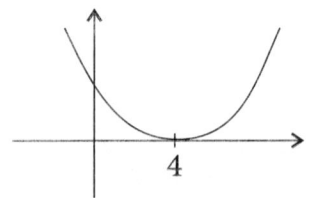

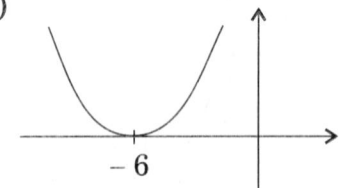

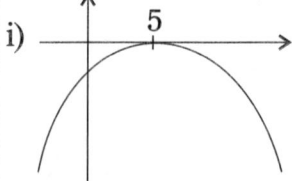

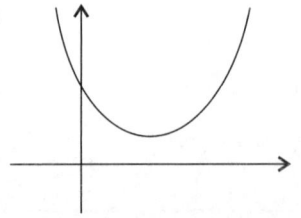

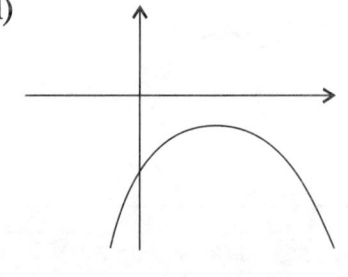

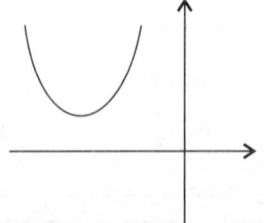

62 Dada a função f: ℝ ⟶ ℝ, graficamente, estudar o sinal de y = f(x), nos casos:

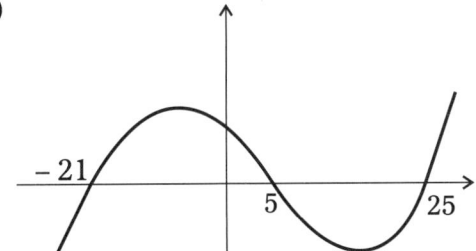

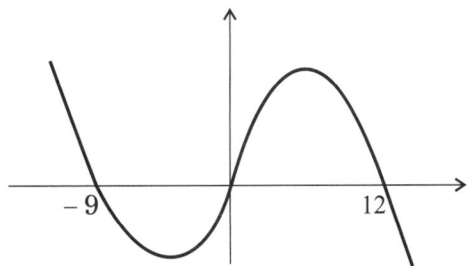

a) [gráfico com zeros em -21, 5, 25]

b) [gráfico com zeros em -9, 12]

---

3) Sinal do produto ou quociente de funções, dados os gráficos.

Dados duas (ou mais) funções de ℝ em ℝ, y = f(x) e y = g(x), através de seus gráficos, há um dispositivo prático muito útil para o estudo dos sinais de f(x) · g(x) ou $\dfrac{f(x)}{g(x)}$, que é apresentado no exemplo seguinte.

Obs.: O estudo pode ser feito sem o uso do dispositivo, mas ele ajuda muito.

Exemplo: Dados os gráficos das funções y = f(x) e y = g(x), no mesmo plano cartesiano, estudar o sinal de y = f(x) · g(x).

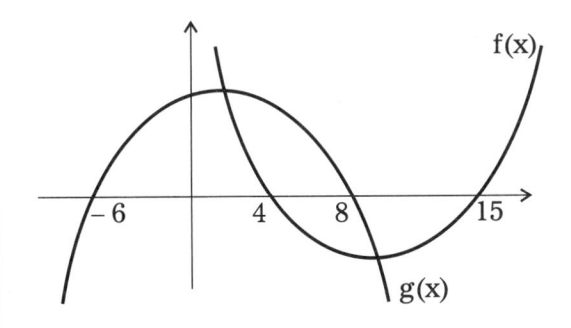

	−6		4		8		15	x
f(x)	+	|	+	0	−	|	−	0	+
g(x)	−	0	+	|	+	0	−	|	−
f(x)·g(x)	−	0	+	0	−	0	+	0	−

$f(x) \cdot g(x) = 0 \Leftrightarrow x = -6 \lor x = 4 \lor x = 8 \lor x = 15$

$f(x) \cdot g(x) < 0 \Leftrightarrow x < -6 \lor 4 < x < 8 \lor x > 15$

$f(x) \cdot g(x) > 0 \Leftrightarrow -6 < x < 4 \lor 8 < x < 15$

Em cada faixa horizontal do dispositivo indicamos as imagens iguais a zero correspondentes a cada raiz (ou zero) da função. E também os sinais + e −, correspondentes aos sinais das imagens em cada intervalo dos valores de x. Por exemplo, na primeira faixa colocamos f(x) = 0 para x = 4 e x = 15 e o sinal − para f(x) quando 4 < x < 15 e o sinal + para f(x) quando x < 4 ou x > 15.

Resp: **57** a) < 0 b) > 0 c) < 0 d) = 0 e) > 0 f) > 0 g) = 0 h) > 0 i) = 0 j) < 0 k) > 0 l) > 0

58 a) > 0 b) < 0 c) > 0 d) < 0 e) = 0 f) > 0 g) = 0 h) = 0 i) < 0 j) < 0 k) > 0 l) < 0 m) < 0

59 a) f(7) = 23 b) f(−11) = −31 c) f(0) = 2 d) f(b) = 3b + 2

60 a) f(a) = 2a − 11 b) f(b) = 2b − 7 c) f(x) = 3x − 4

63 Dados os gráficos das funções f e g definidas sobre ℝ, estudar o sinal de P(x) = f(x) · g(x), nos casos:

a)

f(x) _____
g(x) _____
P(x) _____

b)

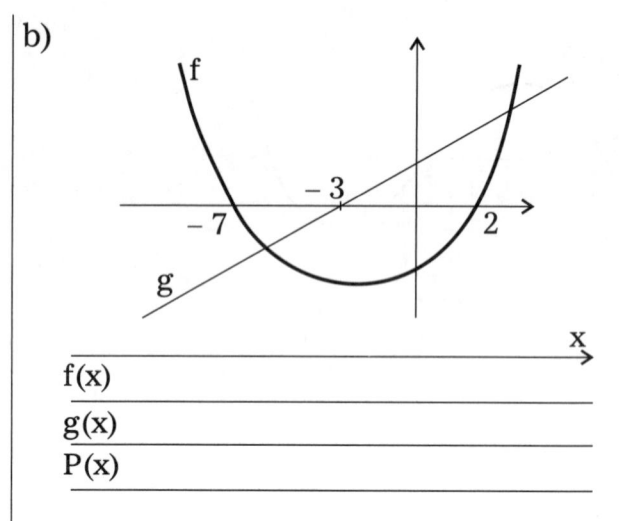

f(x) _____
g(x) _____
P(x) _____

64 Dados os gráficos das funções f, g e h definidas sobre ℝ, estudar o sinal da expressão E definida por $E(x) = \dfrac{h(x) \cdot f(x)}{g(x)}$.

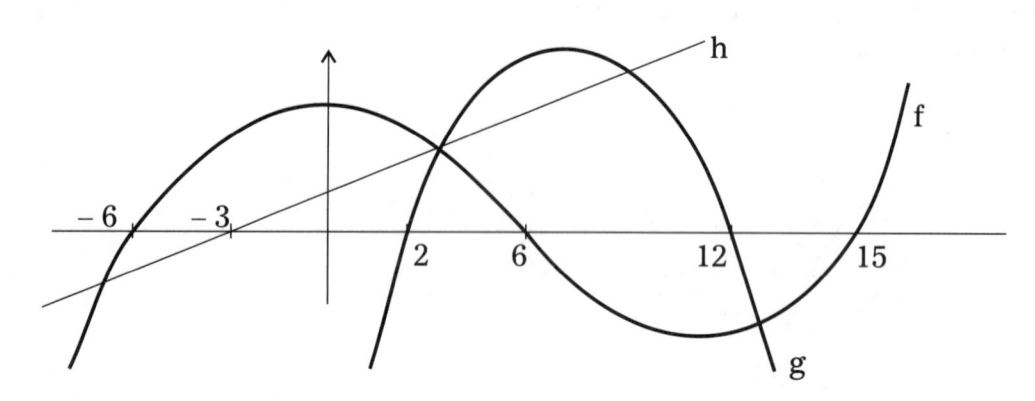

h(x) _____
f(x) _____
g(x) _____
E(x) _____

6 – Algumas funções elementares

(I) Função constante

A função $f: \mathbb{R} \to \mathbb{R}$ que faz corresponder a todo número real x um mesmo número real c, é chamada função constante.

$$f: \mathbb{R} \to \mathbb{R} \text{ tal que } f(x) = c, c \in \mathbb{R}$$

Exemplos: 1) $f(x) = 2$ Os elementos de f são do tipo $(x, 2)$, $x \in \mathbb{R}$

2) $f(x) = -3$, $f(x) = \dfrac{2}{3}$, $f(x) = \sqrt{2} + 3$, $f(x) = 0$

As funções do tipo $f(x) = c$, $c \neq 0$ são chamadas funções polinomiais de grau zero.

O domínio da função constante $f(x) = c$ é $\mathbb{R}$ e a imagem é $I = \{c\}$.

A função $f(x) = 0$ é função polinomial para a qual não se define o grau, pois não se define o grau de polinômio nulo.

O gráfico da função constante $f(x) = c$ é uma reta horizontal que passa pelo ponto $(0, c), (1, c), (-5, c)$, etc. Observe:

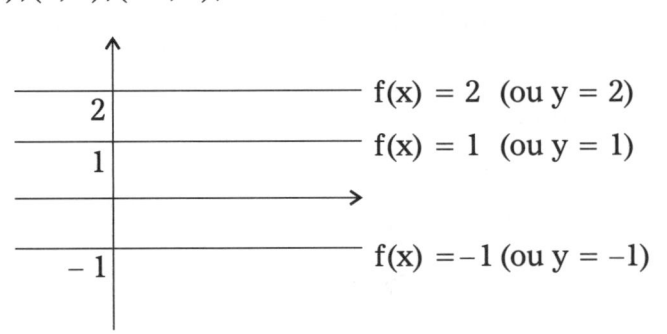

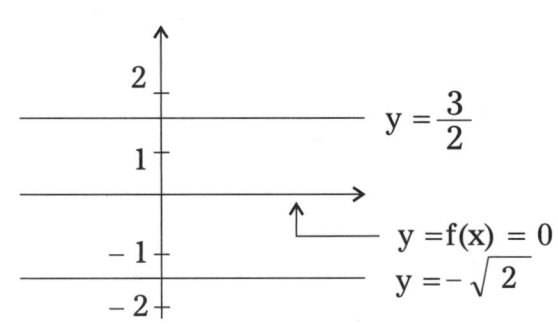

Sinal da função constante: O sinal da função $f(x) = c$ é igual ao sinal de **c** para todo x real. Note que $f(x) = 2$ é positivo para todo x real, pois 2 é positivo para todo x.

Obs.: Dizemos que a reta horizontal que passa pela ponto (0,2) é o gráfico da função $y = 2$ ou gráfico da equação $y = 2$ ou gráfico da equação $y - 2 = 0$.

(II) Função identidade

A função $f: \mathbb{R} \to \mathbb{R}$ definida por $y = f(x) = x$
é chamada função identidade.

O seu gráfico é a reta que contém as bissetrizes
dos quadrantes ímpares.

A função $y = x$ é uma função polinomial do 1º grau.

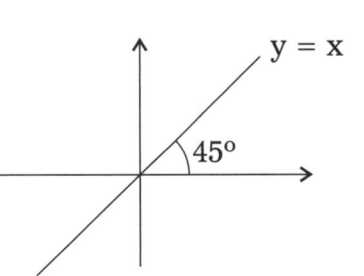

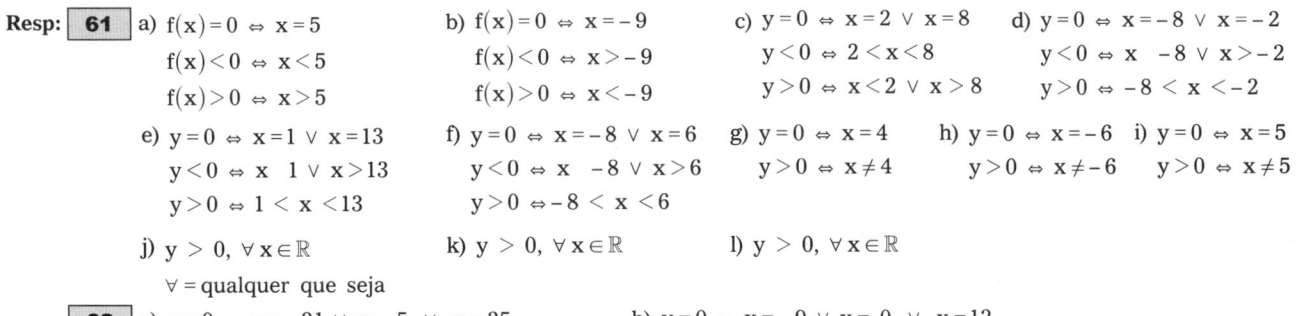

Resp: **61** a) $f(x) = 0 \Leftrightarrow x = 5$
$f(x) < 0 \Leftrightarrow x < 5$
$f(x) > 0 \Leftrightarrow x > 5$

b) $f(x) = 0 \Leftrightarrow x = -9$
$f(x) < 0 \Leftrightarrow x > -9$
$f(x) > 0 \Leftrightarrow x < -9$

c) $y = 0 \Leftrightarrow x = 2 \vee x = 8$
$y < 0 \Leftrightarrow 2 < x < 8$
$y > 0 \Leftrightarrow x < 2 \vee x > 8$

d) $y = 0 \Leftrightarrow x = -8 \vee x = -2$
$y < 0 \Leftrightarrow x\ -8 \vee x > -2$
$y > 0 \Leftrightarrow -8 < x < -2$

e) $y = 0 \Leftrightarrow x = 1 \vee x = 13$
$y < 0 \Leftrightarrow x\ 1 \vee x > 13$
$y > 0 \Leftrightarrow 1 < x < 13$

f) $y = 0 \Leftrightarrow x = -8 \vee x = 6$
$y < 0 \Leftrightarrow x\ -8 \vee x > 6$
$y > 0 \Leftrightarrow -8 < x < 6$

g) $y = 0 \Leftrightarrow x = 4$
$y > 0 \Leftrightarrow x \neq 4$

h) $y = 0 \Leftrightarrow x = -6$
$y > 0 \Leftrightarrow x \neq -6$

i) $y = 0 \Leftrightarrow x = 5$
$y > 0 \Leftrightarrow x \neq 5$

j) $y > 0, \forall x \in \mathbb{R}$
$\forall$ = qualquer que seja

k) $y > 0, \forall x \in \mathbb{R}$

l) $y > 0, \forall x \in \mathbb{R}$

62 a) $y = 0 \Leftrightarrow x = -21 \vee x = 5 \vee x = 25$
$y < 0 \Leftrightarrow x < -21 \vee 5 < x < 25$
$y > 0 \Leftrightarrow -21 < x < 5 \vee x > 25$

b) $y = 0 \Leftrightarrow x = -9 \vee x = 0 \vee x = 12$
$y < 0 \Leftrightarrow -9 < x < 0 \vee x > 12$
$y > 0 \Leftrightarrow x < 9 \vee 0 < x < 12$

(III) Função linear

A função f: $\mathbb{R} \to \mathbb{R}$ definida por f(x) = ax (ou y = ax) com **a** real e diferente de zero (a ∈ $\mathbb{R}^*$) é chamada **função linear**.

Esta função y = ax, a ≠ 0 é uma função polinomial do primeiro grau.

Exemplos: y = 3x; f(x) = 9x ; $f(x) = \frac{1}{3}x$; y = –5x ; $y = \sqrt{2}\,x$; y = x

Prova-se que os pontos do tipo (x, ax) estão todos sobre uma mesma reta.

Então o gráfico de uma função linear é uma reta.

Note que para x = 0 temos:

y = ax ⇒ y = a · (0) ⇒ y = 0 ⇒ (0, 0) é elemento de todas as funções lineares. Então o gráfico de qualquer função linear e uma reta que passa pela origem (0,0) do sistema de coordenadas cartesiano.

Como dois pontos distintos determinam uma única reta, para obtermos o gráfico de uma função linear precisamos de mais um ponto, diferente de (0,0). Para isto basta atribuirmos um valor diferente de zero para x, determinarmos o outro ponto e traçarmos a reta, que será o gráfico da função linear.

Gráfico de y = ax para a > 0

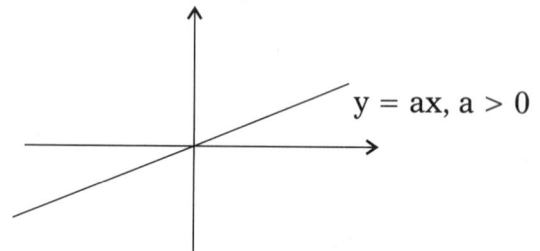

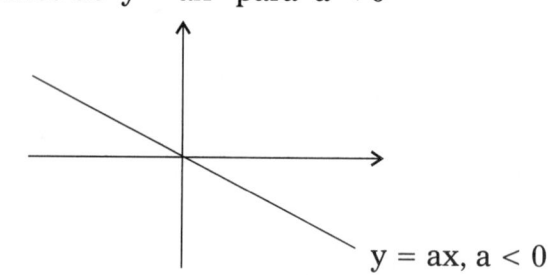

y = ax, a > 0

Esta função é crescente em R

Gráfico de y = ax para a < 0

y = ax, a < 0

Esta função é decrescente em R

Exemplo: Esboçar o gráfico da função linear dada nos casos:

a) f(x) = 2x

f(1) = 2(1) ⇒ f(1) = 2

A reta passa pelos pontos (0, 0) e (1, 2)

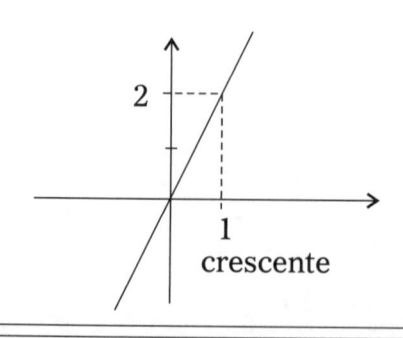

crescente

b) $f(x) = \frac{1}{2}x$

$f(4) = \frac{1}{2}(4) = 2 \Rightarrow f(4) = 2$

A reta passa pelos pontos (0, 0) e (4, 2)

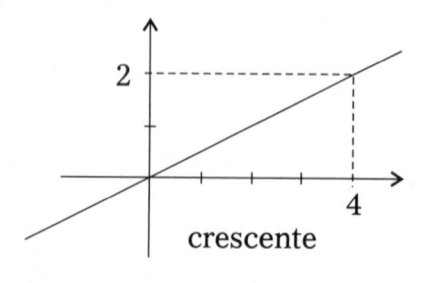

crescente

c) f(x) = –2x

f(1) = –2(1) ⇒ f(2) = –2

A reta passa pelos pontos (0, 0) e (1, –2)

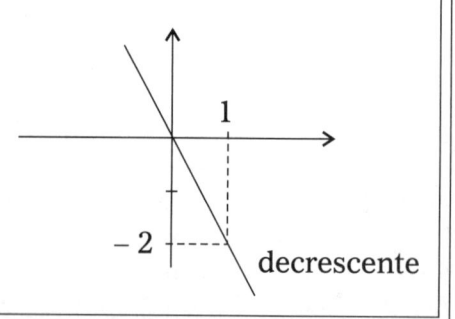

decrescente

(IV) Função afim

A função f: $\mathbb{R} \to \mathbb{R}$ definida por f(x) = ax + b (ou y = ax + b) com **a** e **b** reais e **a** diferente de zero é chamada função afim.

Exemplo: f(x) = 2x + 3 ; y = 5x – 2, f(x) = –6x + 4 ; $y = \frac{1}{2}x + 7$; y = 2x ; y = –3x.

Obs.: 1) A função afim (y = ax + b) é uma função polinomial do primeiro grau.

2) Note que qualquer função linear é também uma função afim.

3) Prova-se que o gráfico de uma função afim y = ax + b é uma reta.

4) Considerando a função afim y = ax + b, temos:

$y = 0 \Rightarrow 0 = ax + b \Rightarrow x = \dfrac{-b}{a}$ $\Rightarrow \left(-\dfrac{b}{a}, 0\right)$ é elemento de f

$x = -\dfrac{b}{a}$ é chamada raiz da função y = ax + b

Então, para y = 0, obtemos a raiz de y = ax + b

$x = 0 \Rightarrow y = a(0) + b \Rightarrow y = b \Rightarrow (0,b)$ é elemento de f.

Os pontos $\left(-\dfrac{b}{a}, 0\right)$ e (0, b) são os interceptos da função y = ax + b.

Quando $b \neq 0$, os pontos $\left(-\dfrac{b}{a}, 0\right)$ e (0, b) são suficientes para determinar o gráfico de y = ax + b. Dois pontos distintos determinar uma reta.

5) y = ax + b é crescente para a > 0 e decrescente para a < 0.

Observe:

a) y = 2x + 4
$x = 0 \Rightarrow y = 2(0) + 4 = 4 \Rightarrow (0, 4)$
$y = 0 \Rightarrow 2x + 4 = 0 \Rightarrow x - 2 \Rightarrow (-2, 0)$
A reta passa pelos pontos (0,4) e (-2, 0).

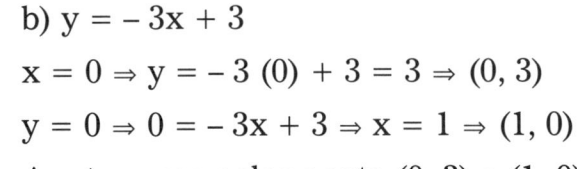

b) y = -3x + 3
$x = 0 \Rightarrow y = -3(0) + 3 = 3 \Rightarrow (0, 3)$
$y = 0 \Rightarrow 0 = -3x + 3 \Rightarrow x = 1 \Rightarrow (1, 0)$
A reta passa pelos ponto (0, 3) e (1, 0).

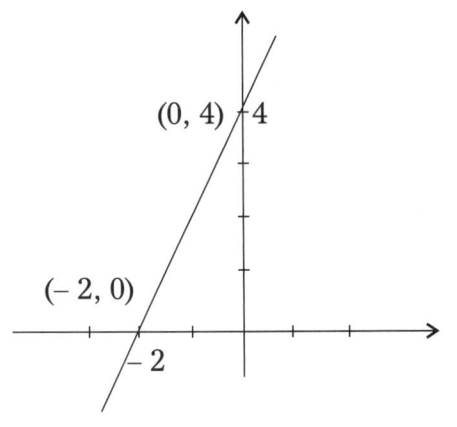

Note que: f(x) = 2x + 4 é crescente em $\mathbb{R}$
$f(x) > 0 \Leftrightarrow x > -2$
$f(x) < 0 \Leftrightarrow x < -2$

Note: que: f(x) = -3x + 3 é decrescente em $\mathbb{R}$
$f(x) > 0 \Leftrightarrow x < 1$
$f(x) < 0 \Leftrightarrow x > 1$

6) Na função y = f(x) = ax + b, **a** é chamado coeficente angular da função ou coeficiente angular da reta que é o seu gráfico e **b** é chamado coefiente linear da função.

Resp: **63** a) $P(x) = 0 \Leftrightarrow x = 2 \lor x = 9$ b) $P(x) = 0 \Leftrightarrow x = -7 \lor x = -3 \lor x = 2$ **64** a) $E(x) = 0 \Leftrightarrow x = -6, -3, 6, 15$
$P(x) < 0 \Leftrightarrow x < 2 \lor x > 9$ $\quad P(x) < 0 \Leftrightarrow x < -7 \lor -3 < x < 2$ $\quad E(x) < 0 \Leftrightarrow x < -6 \lor -3 < x < 2 \lor 6 < x < 12 \lor x > 15$
$P(x) > 0 \Leftrightarrow 2 < x < 9$ $\quad P(x) > 0 \Leftrightarrow -7 < x < -3 \lor x > 2$ $\quad E(x) > 0 \Leftrightarrow -6 < x < -3 \lor 2 < x < 6 \lor 12 < x < 15$

Variação do sinal da função afim

Dada a função $f: \mathbb{R} \to \mathbb{R}$, definida por $y = f(x)$, com $f(x) = ax + b$, $a \neq 0$, temos:

$f(x) = ax + b$, $a > 0 \Rightarrow f$ é crescente em $\mathbb{R}$

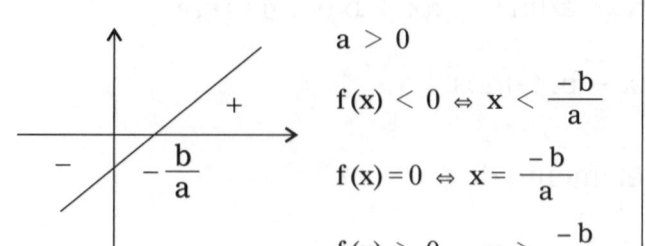

$a > 0$
$f(x) < 0 \Leftrightarrow x < \dfrac{-b}{a}$
$f(x) = 0 \Leftrightarrow x = \dfrac{-b}{a}$
$f(x) > 0 \Leftrightarrow x > \dfrac{-b}{a}$

$y = f(x)$ — $-\dfrac{b}{a}$ +

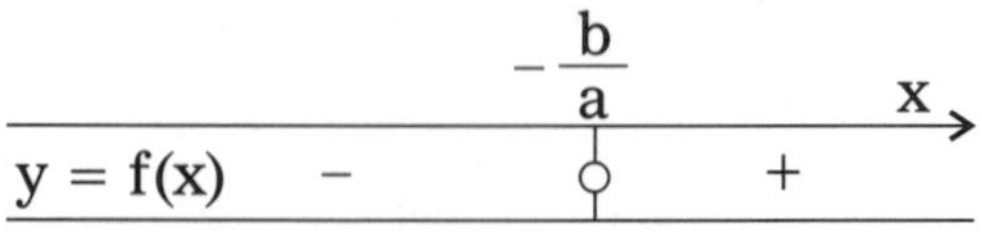

$f(x) = ax + b$, $a < 0 \Rightarrow f$ é decrescente em $\mathbb{R}$

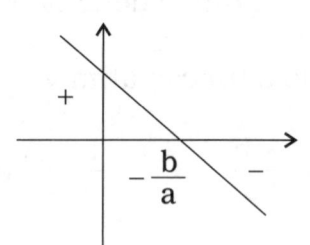

$a < 0$
$f(x) < 0 \Leftrightarrow x > -\dfrac{b}{a}$
$f(x) = 0 \Leftrightarrow x = -\dfrac{b}{a}$
$f(x) > 0 \Leftrightarrow x < -\dfrac{b}{a}$

$y = f(x)$ + $-\dfrac{b}{a}$ —

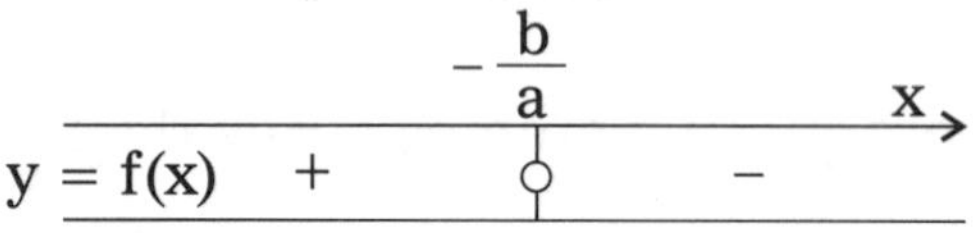

Note que nos dois casos, à direita da raiz $-\dfrac{b}{a}$, $f(x)$ tem o mesmo sinal de a e que à esquerda da raiz $-\dfrac{b}{a}$, $f(x)$ tem o sinal contrário de **a**.

Resumo dos dois casos:

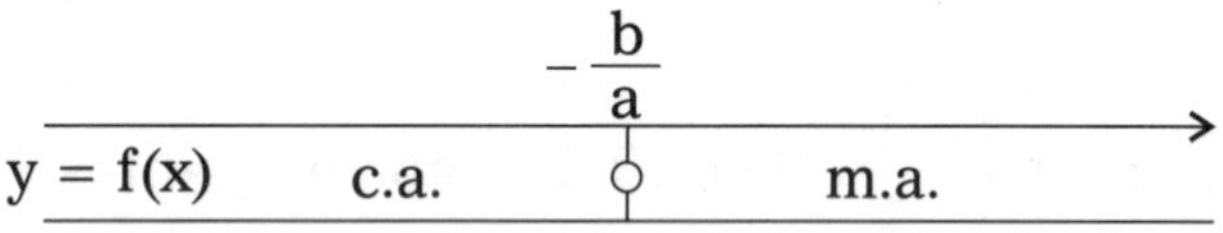

$y = f(x)$ c.a. $-\dfrac{b}{a}$ m.a.

Exemplo 1: Dada a função linear $f(x) = ax$, determinando um par diferente de $(0, 0)$, mentalmente, esboçar o gráfico de f, nos casos:

a) $y = 3x$

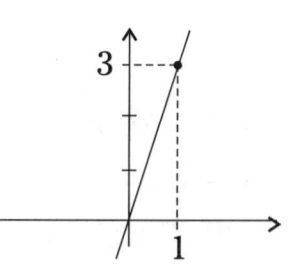

$a = 3 > 0 \Rightarrow f$ é crescente

b) $y = \dfrac{1}{4}x$

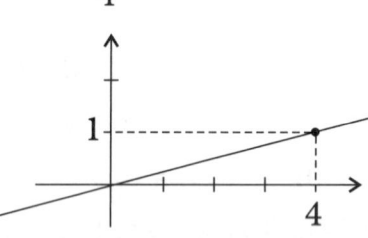

$a = \dfrac{1}{4} > 0 \Rightarrow f$ é crescente

c) $y = -\dfrac{1}{2}x$

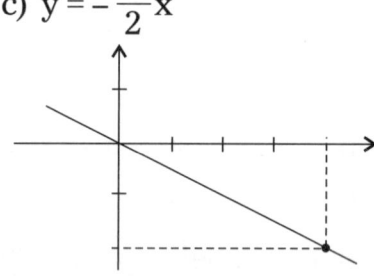

$a = -\dfrac{1}{2} < 0 \Rightarrow f$ é decrescente

Exemplo 2: Dado um par diferente de $(0,0)$ que pertence a uma função linear f definida por $y = ax$, determine esta equação nos casos:

a) $y = ax$ e $(2, 6) \in f$
$6 = a \cdot 2 \Rightarrow a = 3 \Rightarrow$
$\boxed{y = 3x}$

b) $y = ax$ e $(-3, 15) \in f$
$15 = a(-3) \Rightarrow a = -5 \Rightarrow$
$\boxed{y = -5x}$

c) $y = ax$ e $(\sqrt{6}, 12) \in f$
$12 = a(\sqrt{6}) \Rightarrow a = \dfrac{12}{\sqrt{6}} \Rightarrow$
$a = 2\sqrt{6} \Rightarrow \boxed{y = 2\sqrt{6}\, a}$

Exemplo 3: Dada uma função afim $f(x) = ax + b$, com $b \neq 0$, determinando mentalmente um par de f, diferente de $(0, b)$, esboçar o gráfico de $y = f(x)$, nos casos:

a) $y = 2x + 1$
$(0, 1) \in f$
$(1, 3) \in f$

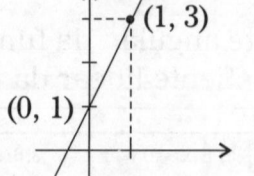

b) $y = -\dfrac{2}{3}x + 3$
$(0, 3) \in f$
$(3, 1) \in f$

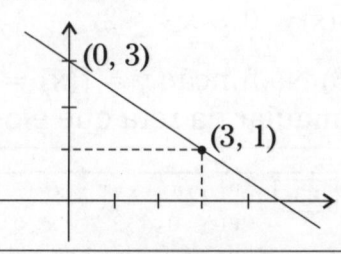

Exemplo 4: Dada a função afim f(x) = ax + b, determinar a raiz de f, nos casos:

a) $y = 7x + 21$
$y = 0 \Rightarrow 7x + 21 = 0 \Rightarrow$
$\Rightarrow \boxed{x = -3}$
Note que $(-3, 0) \in f$

b) $y = -3x + 12$
$y = 0 \Rightarrow -3x + 12 = 0 \Rightarrow$
$\Rightarrow \boxed{x = 4}$
Note que $(4, 0) \in f$

c) $y = -\dfrac{3}{2}x + 9$
$y = 0 \Rightarrow -\dfrac{3}{2}x + 9 = 0 \Rightarrow$
$-3x + 18 = 0 \Rightarrow \boxed{x = 6}$
Note que $(6, 0) \in f$

Exemplo 5: Dada a função afim y = ax + b, determinar os seus interceptos, nos casos:

a) $y = 4x - 20$
$x = 0 \Rightarrow y = -20 \Rightarrow (0, -20)$
$y = 0 \Rightarrow 4x - 20 = 0 \Rightarrow x = 5 \Rightarrow (5, 0)$
$(0, -20)$ e $(5, 0)$

b) $y = -\dfrac{3}{5}x + 7$
$x = 0 \Rightarrow y = 7 \Rightarrow (0, 7)$
$y = 0 \Rightarrow -\dfrac{3}{5}x + 7 = 0 \Rightarrow -3x + 35 = 0 \Rightarrow$
$x = \dfrac{35}{3} \Rightarrow \left(\dfrac{35}{3}, 0\right) \Rightarrow (0, 7)$ e $\left(\dfrac{35}{3}, 0\right)$

Exemplo 6: Dados dois pares distintos da função f(x) = ax + b, determinar a equação que define f, nos casos:

a) $(2, 3) \in f$ e $(-1, -3) \in f$
$y = ax + b \Rightarrow$
$\begin{cases} 3 = a(2) + b \\ -3 = a(-1) + b \end{cases} \Rightarrow \begin{cases} 3 = 2a + b \\ 3 = a - b \end{cases} \Rightarrow$
$6 = 3a \Rightarrow \boxed{a = 2} \Rightarrow 3 = 2 - b \Rightarrow \boxed{b = -1} \Rightarrow$
$y = 2x - 1$ ou $f(x) = 2x - 1$

b) $(-2, 1) \in f$ e $(4, -5) \in f$
$y = ax + b \Rightarrow$
$\begin{cases} 1 = a(-2) + b \\ -5 = a(4) + b \end{cases} \Rightarrow \begin{cases} -1 = 2a - b \\ -5 = 4a + b \end{cases} \Rightarrow$
$-6 = 6a \Rightarrow a = -1 \Rightarrow -5 = 4(-1) + b \Rightarrow$
$b = -1 \Rightarrow$
$y = -1x - 1$ ou $f(x) = -x - 1$

Exemplo 7: Fazer sem esboçar o gráfico, usando apenas o dispositivo dado ao lado, o estudo da variação do sinal da função afim dada, nos casos:

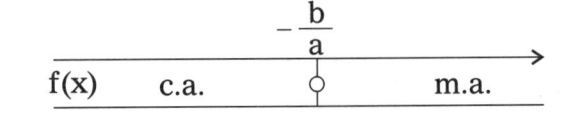

$$\begin{array}{c} & & -\dfrac{b}{a} & \\ \text{f(x)} & \text{c.a.} & \circ & \text{m.a.} \end{array}$$

a) $f(x) = 2x - 14$. Note que $a = 2 > 0$
Cálculo da raiz de f(x)
$y = 0 \Rightarrow 2x - 14 = 0 \Rightarrow x = 7$

$$\begin{array}{c} & & 7 & \\ \text{f(x)} & - & \circ & + \end{array}$$

$f(x) = 0 \Leftrightarrow x = 7$
$f(x) < 0 \Leftrightarrow x < 7$
$f(x) > 0 \Leftrightarrow x > 7$

b) $y = -3x - 15$. Note que $a = -3 < 0$
Cálculo da raiz de f(x)
$y = 0 \Rightarrow -3x - 15 = 0 \Rightarrow x = -5$

$$\begin{array}{c} & & -5 & \\ \text{f(x)} & + & \circ & - \end{array}$$

$f(x) = 0 \Leftrightarrow x = -5$
$f(x) < 0 \Leftrightarrow x > -5$
$f(x) > 0 \Leftrightarrow x < -5$

---

65 Dadas funções f(x) = 4, g(x) = 2x e h(x) = 2x – 8, definidas sobre $\mathbb{R}$, determinar, fazendo os cálculos mentalmente, as imagens pedidas:

a) f(2) =	b) g(2) =	c) h(1) =	d) h(4) =	e) g(–2) =
f) h(0) =	g) f(–3) =	h) g(0) =	i) h(8) =	j) f(–4) =
k) g(–7) =	l) $h\left(\dfrac{1}{2}\right) =$	m) $g\left(\dfrac{1}{2}\right) =$	n) h(–5) =	o) $h\left(\dfrac{3}{2}\right) =$

66 Dadas a função f: ℝ → ℝ, completar a tabela de modo que os pares obtidos sejam elementos de f, nos casos:

a) f(x) = 5

x	y
-2	
-1	
0	
7	

b) f(x) = -2x

x	y
-2	
-1	
2	
5	

c) $f(x) = \frac{1}{2}x$

x	y
-2	
-4	
0	
20	

d) f(x) = -2x + 3

x	y
-3	
-2	
7	
0	

e) f(x) = 7 - 4x

x	y
3	
1	
0	
-5	

67 Dada a função afim y = ax + b, determinar o par de f cuja imagem está dada, nos casos:

a) f(x) = 4x, y = 8

b) f(x) = 2x - 3, y = 7

c) f(x) = -2x + 4, y = 8

d) f(x) = 3x + 10, y = 4

e) $y = \frac{1}{2}x$, y = -3

f) y = 7x - 4, y = 1

g) y = -2x + 4, y = 3

h) y = 1 - 7x, y = 15

68 Dada a função linear y = ax, determinando mentalmente um par dela, diferente de (0, 0), esbocar o gráfico de f e dizer se ela é crescente ou decrescente, nos casos:

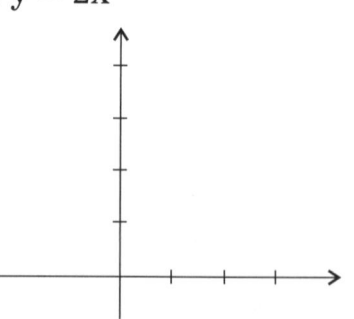

a) y = 2x

b) $y = -\frac{1}{4}x$

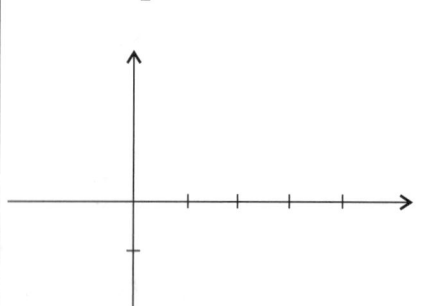

c) $y = \frac{1}{5}x$

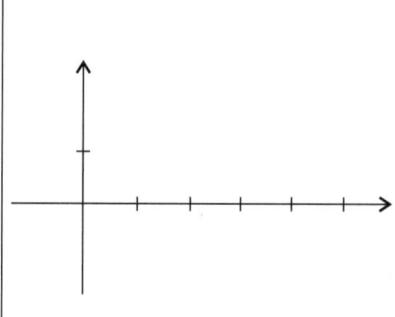

69 Dado um par diferente do (0, 0) que pertence a uma função linear f definida por y = ax, determinar esta equação nos casos:

a) (3, 18) ∈ f, y = ax

b) (-2, 5) ∈ f, y = ax

c) (4, 3) ∈ f, y = ax

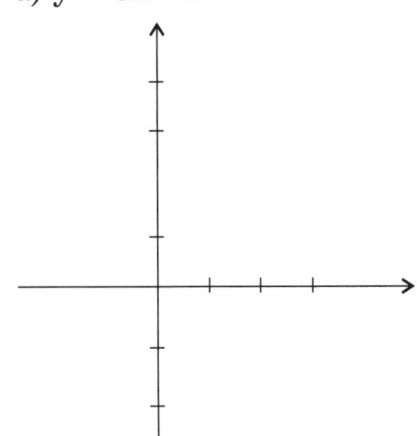

70 Dada uma função afim f(x) = ax + b, com b ≠ 0, determinando mentalmente um par de f, diferente de (0, b), esboçar o gráfico de y = f(x) e dizer se f é crescente ou decrescente, nos casos:

a) y = 3x – 2

b) y = – 2x + 4

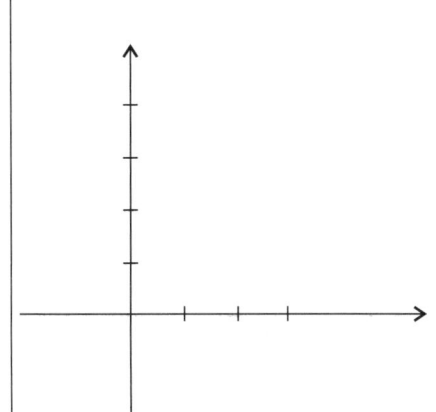

c) $y = \frac{1}{2}x + 1$

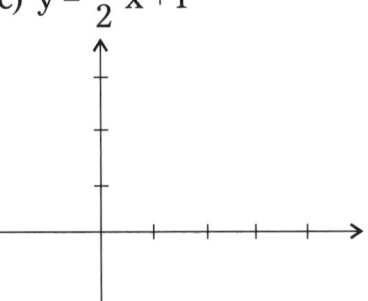

d) $y = -\frac{1}{3}x + 2$

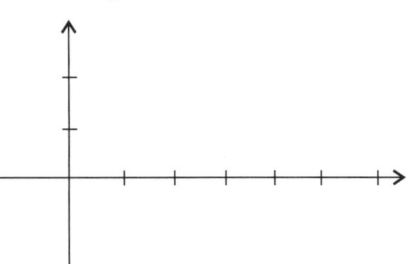

71 Dada a função f(x) = ax + b, determinar o ponto de interseção de f com o eixo das ordenadas, nos casos:

a) f(x) = 3x + 11

b) y = – 4x

c) $y = \frac{2}{3}x - 13$

d) $y = -20x - \frac{1}{2}$

e) $f(x) = \frac{2}{3}x + \frac{2}{5}$

f) $f(x) = \sqrt{3}\,x - 2\sqrt{2}$

g) f(x) = 9 – 13x

h) y = 2 – 3x

72 Dada a função afim f(x) = ax + b, determinar a raiz de f(x) e o ponto de intersecção de f com o eixo das abscissas, nos casos:

a) f(x) = 5x – 30

b) f(x) = 3x – 7

c) $y = \frac{2}{3}x - 4$

d) $y = \frac{7}{4}x$

e) $y = -\frac{3}{2}x - \frac{5}{3}$

f) $y = \frac{5}{6} - \frac{3}{4}x$

Resp: 65 a) 4 b) 4 c) – 6 d) 0 e) – 4 f) – 8 g) 4 h) 0 i) 8 j) 4 k) – 14 l) – 7 m) 1 n) – 18 o) – 5

73 Dada a função afim y = ax + b, determinar os seus interceptos, nos casos:

a) y = – 5x + 40

b) y = 7x – 42

c) $y = \dfrac{2}{3} + \dfrac{3}{4}x$

d) $y = \dfrac{4}{21} - \dfrac{3}{14}x$

74 Dados dois pares distintos da função f(x) = ax + b, determinar a equação que a define, nos casos:

a) (3, – 1) e (– 3, – 19)

b) (4, – 8) e (– 2, 16)

c) $\left(2, \dfrac{8}{3}\right)$ e $\left(-4, \dfrac{-19}{3}\right)$

75 Analisando o coeficiente angular da função afim dada, dizer se ela é crescente ou decrescente nos casos:

a) y = 7x – 20

b) $y = -\dfrac{2}{3}x + 9$

c) y = 201x

d) y = 9 + 4x

e) y = 2 – 7x

f) y = – 20x + 1

76 Dado o gráfico cartesiano da função afim, determinar a equação que a define, nos casos:

a) [gráfico passando por (2,1) e (3,3)]

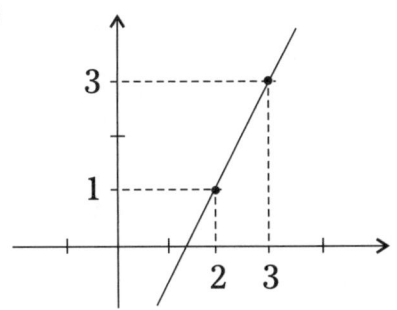

b) [gráfico passando por (-4, 2) e (-2, -1)]

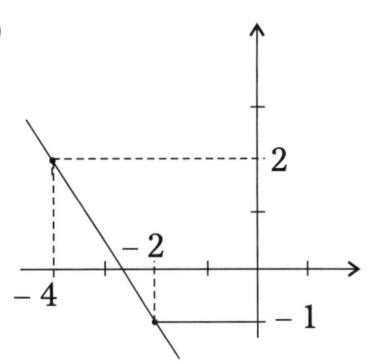

c) [gráfico passando por (0,0) e (4,2)]

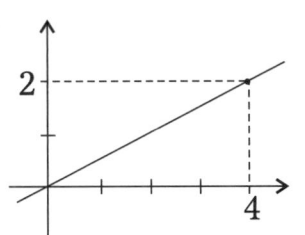

d) [gráfico passando por (-1, 0) e (0, 2)]

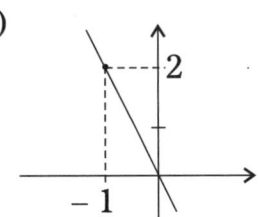

Resp: **66** De cima para baixo: a) 5; 5 ; 5; 5   b) 4; 2; – 4; – 10   c) – 1; – 2; 0; 10   d) 9; 7; – 11; 3   e) – 5; 3; 7; 27

67 a) (2, 8)   b) (5, 7)   c) (– 2, 8)   d) (– 2, 4)   e) (– 6, – 3)   f) $\left(\frac{5}{7}, 1\right)$ g) $\left(\frac{1}{2}, 3\right)$ h) (– 2, 15)

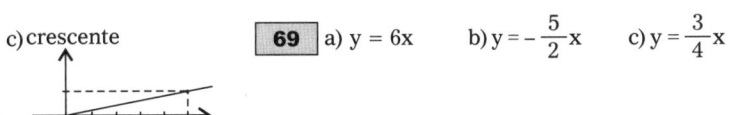

68 a) crescente   b) decrescente   c) crescente 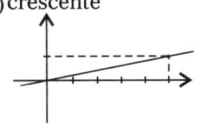   **69** a) y = 6x   b) y = $-\frac{5}{2}$x   c) y = $\frac{3}{4}$x

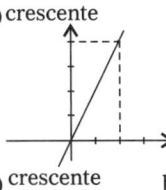

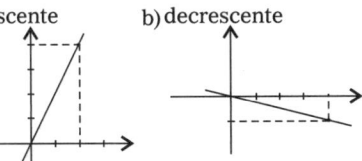

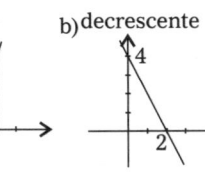

70 a) crescente   b) decrescente   c) crescente 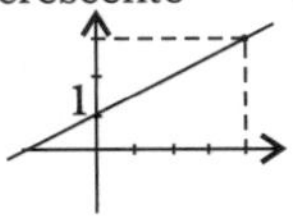   d) decrescente   **71** a) (0, 11)   b) (0, 0)   c) (0, – 13)

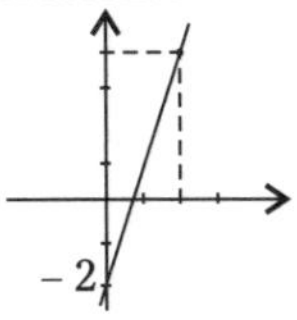

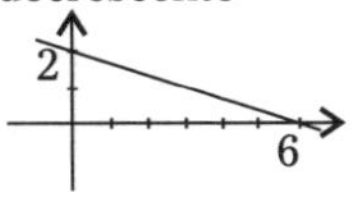

d) $\left(0, -\frac{1}{2}\right)$ e) $\left(0, \frac{2}{5}\right)$ f) $(0, -2\sqrt{2})$ g) (0, 9)   h) (0, 2)   **72** a) x = 6 e (6, 0)   b) x = $\frac{7}{3}$ e $\left(\frac{7}{3}, 0\right)$

c) x = 6 e (6, 0)   d) x = 0 e (0, 0)   e) x = $-\frac{10}{9}$ e $\left(-\frac{10}{9}, 0\right)$ f) x = $\frac{10}{9}$ e $\left(\frac{10}{9}, 0\right)$

55

77 Esboçar em um mesmo plano cartesiano os gráficos das funções dadas, definidas sobre ℝ, nos casos:

a) f(x) = –1, g(x) = 1, h(x) = 2, y = 4, y = –3

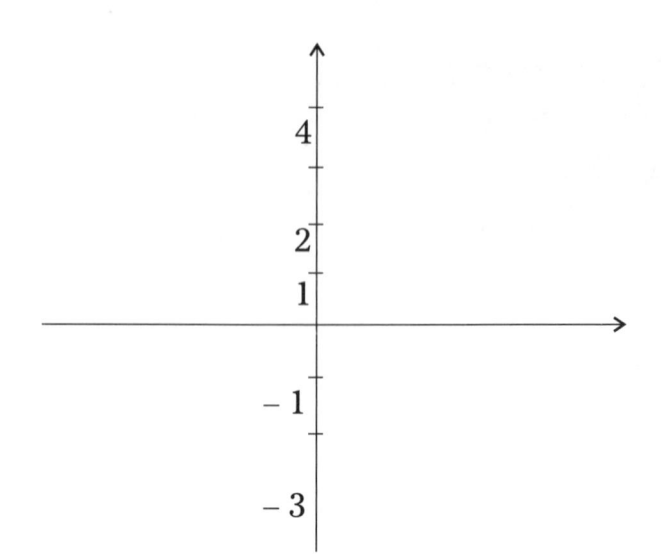

b) f(x) = x, g(x) = –x, h(x) = 3x, y = $\frac{1}{3}$x, y = –$\frac{1}{2}$x, y = –2x

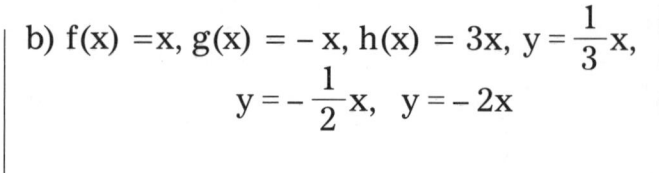

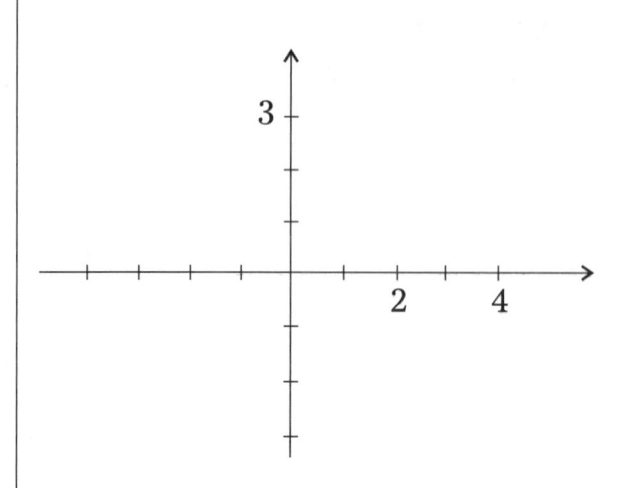

78 Sabemos que o gráfico de uma função afim é uma reta. Sendo a reta r o gráfico da função y = ax + b, dizemos também que r é o gráfico da equação y = ax + b ou que a equação y = ax + b é a equação da reta r e representamos isto por (r) y = ax + b. Dadas as equações das retas **r**, **s** e **t**, completar as tabelas para a construção dos gráficos e determinar graficamente, observando os gráficos as intersecções r ∩ s, r ∩ t e s ∩ t.

(n) y = $\frac{1}{2}$x + 5

x	y
–8	
2	

(s) y = $\frac{1}{2}$x – 4

x	y
4	
–6	

(t) y = –x – 1

x	y
–6	
6	

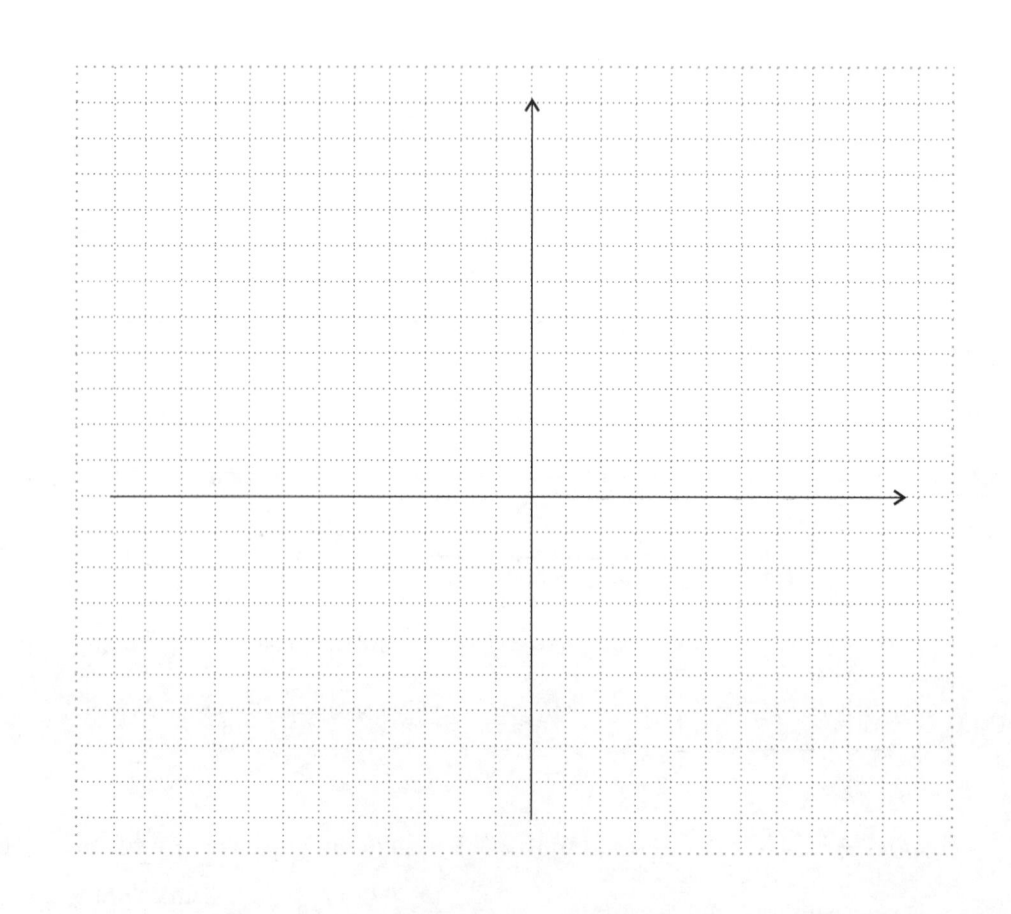

79 Dados par ordenado e a raiz de uma função afim, f(x) = ax + b, determinar a equação que a define, nos casos:

a) x = 2 e (– 3, 10)

b) x = – 3 e (– 2, 3)

c) $x = \dfrac{3}{4}$ e $\left(\dfrac{1}{2}, -\dfrac{1}{6}\right)$

80 Dados os interceptos de um função afim, f(x) = ax + b, determinar a equação que a define, nos casos:

a) (– 2, 0) e (0, 4)

b) (0, 2) e (5, 0)

c) $\left(0, -\dfrac{2}{3}\right)$ e $\left(\dfrac{3}{4}, 0\right)$

Resp: **73** a) (0, 40) e (8, 0)   b) (0, – 42) e (6, 0)   c) $\left(-\dfrac{8}{9}, 0\right)$ e $\left(0, \dfrac{2}{3}\right)$ d) $\left(0, \dfrac{4}{21}\right)$ e $\left(\dfrac{8}{9}, 0\right)$

74 a) y = 3x – 10   b) y = – 4x + 8   c) $y = \dfrac{3}{2}x - \dfrac{1}{3}$

75 a) crescente   b) decrescente   c) crescente   d) crescente   e) decrescente   f) decrescente

76 a) y = 2x – 3   b) $y = -\dfrac{3}{2}x - 4$ c) $y = \dfrac{1}{2}x$ d) y = – 2x

81 Dadas as equações que definem duas funções afins, f(x) = ax + b e g(x) = cx + d, determinar o par ordenado que pertence a f e também a g, nos casos:

a) f(x) = 3x − 3 e g(x) = −2x + 7

b) f(x) = −2x − 2 e g(x) = 2x + 10

c) $f(x) = \dfrac{2}{3}x - 4$ e $g(x) = \dfrac{3}{2}x - \dfrac{13}{2}$

82 Dado o esboço do gráfico de uma função afim f(x) = ax + b, fazer o estudo da variação do sinal de f, nos casos:

a) [gráfico: reta crescente cortando eixo x em 3]

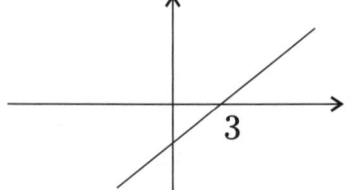

b) [gráfico: reta decrescente cortando eixo x em 4]

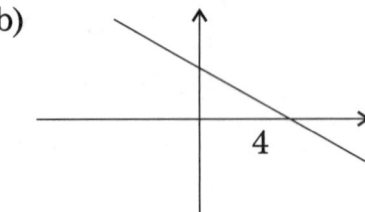

c) [gráfico: reta crescente cortando eixo x em −7]

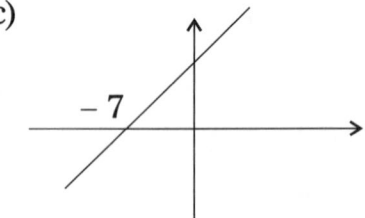

83 Dado o esboço do gráfico da função afim f(x) = ax + b, suprimindo o eixo das ordenadas (eixo vertical), para simplificar, fazer o estudo do sinal de f, nos casos:

a) [gráfico: reta crescente cortando eixo x em 7]

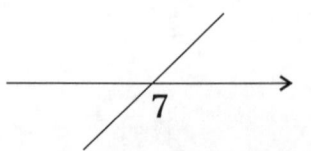

b) [gráfico: reta decrescente cortando eixo x em −20]

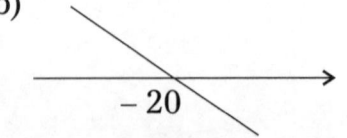

c) [gráfico: reta crescente cortando eixo x em −40]

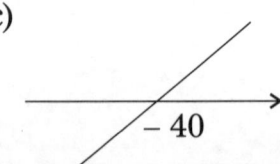

84 Dada a função afim f(x) = ax + b, sabendo que f é crescente quando a for positivo (a > 0), e decrescente quando **a** for negativo (a < 0), determinando a raiz de f e esboçando o gráfico simplificado de f, suprimindo o eixo dos y, fazer o estudo do sinal de f, nos casos:

a) f(x) = 2x − 16

b) y = − 2x + 1

c) y = − 4x − 6

85 Sabendo que a função afim f(x) = ax + b tem o mesmo sinal de a (m.a.) para x à direita da raiz $-\frac{b}{a}$ de f(x), $x > -\frac{b}{a}$, e o sinal contrário de a (c.a.) para x à esquerda da raiz, $x < -\frac{b}{a}$, determinando apenas a raiz de f(x) e usando o dispositivo mostrados abaixo, fazer o estudo do sinal de f(x), nos casos:

$$\begin{array}{c} \quad -\frac{b}{a} \\ \hline f(x) \quad c.a. \quad \circ \quad m.a. \end{array}$$

a) f(x) = 3x + 15

b) y = − 4x + 24

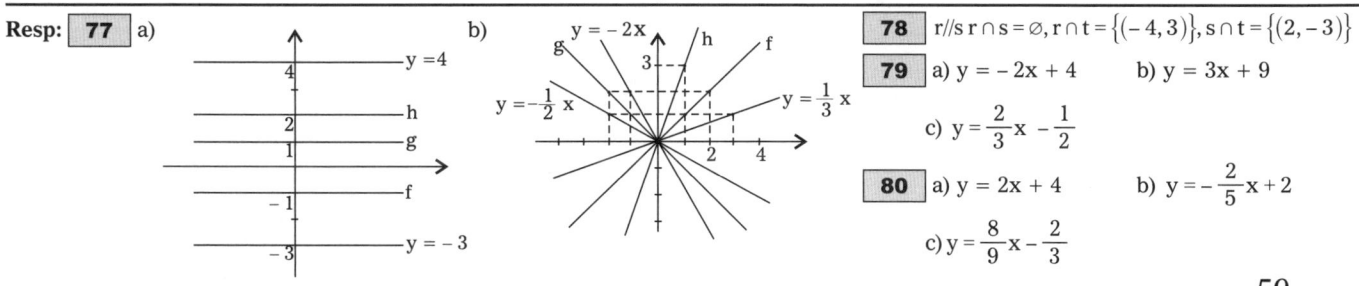

Resp: **77** a) y = 4, h, g, f (em y = −1), y = −3

b) g: y = −2x; h; f; y = −½ x; y = ⅓ x

78 r // s r ∩ s = ∅, r ∩ t = {(−4, 3)}, s ∩ t = {(2, −3)}

79 a) y = − 2x + 4 b) y = 3x + 9 c) $y = \frac{2}{3}x - \frac{1}{2}$

80 a) y = 2x + 4 b) $y = -\frac{2}{5}x + 2$ c) $y = \frac{8}{9}x - \frac{2}{3}$

86 Usando o dispositivo prático, estudar a variação do sinal da função f(x), nos casos:

a) f(x) = 2

f(x) ⟶

b) f(x) = −3

f(x) ⟶

c) f(x) = 0

f(x) ⟶

d) f(x) = −3x + 7

e) f(x) = 4x + 10

f) f(x) = g(x) · h(x), dados

g(x) = 2x − 4 e h(x) = −3x − 12

g) $\dfrac{g(x)}{h(x)}$, dados

g(x) = −7x + 35 e h(x) = −4x − 20

h) f(x) = 7x (−2x − 8)(3x − 21)

87 Dados dois elementos da função f(x) = ax + b, determinar a equação que a define, nos casos:

a) (– 1, 3) e (7, 3)

b) (1, 2) e (3, 6)

c) (– 5, 15) e (3, – 1)

d) (– 2, – 2) e (6, – 6)

e) $\left(\frac{1}{2}, -\frac{1}{2}\right)$ e $\left(\frac{2}{3}, \frac{1}{3}\right)$

Resp: **81** a) (2, 3)　b) (– 3, 4)　c) (3, – 2)　**82** a) f(x) = 0 ⇔ x = 3　　b) f(x) = 0 ⇔ x = 4　　c) f(x) = 0 ⇔ x = – 7
　　　　　　　　　　　　　　　　　　　　　　　f(x) < 0 ⇔ x < 3　　　f(x) < 0 ⇔ x > 4　　　f(x) < 0 ⇔ x < – 7
　　　　　　　　　　　　　　　　　　　　　　　f(x) > 0 ⇔ x > 3　　　f(x) > 0 ⇔ x < 4　　　f(x) > 0 ⇔ x > – 7

83 a) f(x) = 0 ⇔ x = 7　　b) f(x) = 0 ⇔ x = – 20　　c) f(x) = 0 ⇔ x = – 40　　**84** a) f(x) = 0 ⇔ x = 8
　　　f(x) < 0 ⇔ x < 7　　　f(x) < 0 ⇔ x > – 20　　　f(x) < 0 ⇔ x < – 40　　　　f(x) < 0 ⇔ x < 8
　　　f(x) > 0 ⇔ x > 7　　　f(x) > 0 ⇔ x < – 20　　　f(x) > 0 ⇔ x > – 40　　　　f(x) > 0 ⇔ x > 8
　　b) y = 0 ⇔ x = $\frac{1}{2}$　　c) y = 0 ⇔ x = – $\frac{3}{2}$　　**85** a) f(x) = 0 ⇔ x = – 5　　b) y = 0 ⇔ x = 8
　　　y < 0 ⇔ x > $\frac{1}{2}$　　y < 0 ⇔ x > – $\frac{3}{2}$　　　f(x) < 0 ⇔ x < – 5　　　y < 0 ⇔ x > 8
　　　y > 0 ⇔ x < $\frac{1}{2}$　　y > 0 ⇔ x < – $\frac{3}{2}$　　　f(x) > 0 ⇔ x > – 5　　　y > 0 ⇔ x < 8

88 Dados dois elementos de f(x) = ax + b e dois elementos de g(x) = cx + d, determinar a intersecção destas funções, nos casos:

a) $\{(6,-1),(7,1)\} \subset f$ e $\{(-2,8), (1,-1)\} \subset g$

b) $\{(1,9),(-2,-3)\} \subset f$ e $\{(4,-24), (-4,16)\} \subset g$

Resp: **86** a) f(x) > 0, ∀x ∈ ℝ b) f(x) < 0, ∀x ∈ ℝ c) f(x) = 0, ∀x ∈ ℝ

d) f(x) = 0 ⇔ x = $\frac{7}{3}$
  f(x) < 0 ⇔ x > $\frac{7}{3}$
  f(x) > 0 ⇔ x < $\frac{7}{3}$

e) f(x) = 0 ⇔ x = $-\frac{5}{3}$
  f(x) < 0 ⇔ x < $-\frac{5}{3}$
  f(x) > 0 ⇔ x > $-\frac{5}{3}$

f) f(x) = 0 ⇔ x = -4 ∨ x = 2
  f(x) < 0 ⇔ x < -4 ∨ x > 2
  f(x) > 0 ⇔ -4 < x < 2

g) f(x) = 0 ⇔ x = 5
  f(x) < 0 ⇔ -5 < x < 5
  f(x) > 0 ⇔ x < -5 ∨ x > 5

h) f(x) = 0 ⇔ x = -4 ∨ x = 0 ∨ x = 7
  f(x) < 0 ⇔ -4 < x < 0 ∨ x > 7
  f(x) > 0 ⇔ x < -4 ∨ 0 < x < 7

87 a) y = 3 b) y = 2x c) y = -2x + 5 d) y = $-\frac{1}{2}$x - 3 e) y = 5x - 3

88 a) {(3, -7)} b) {(-1, 1)}

III PROPORCIONALIDADE

São muito comuns os problemas em que uma grandeza varia proporcionalmente em função da outra. Por exemplo, **a quantidade de litros** de água despejados por uma torneira em função do **tempo** em que ela fica aberta, o **tempo** de duração da quantidade de ração em um estoque em função do **número de animais** que vão consumi-la, etc. Nesse capítulo estudaremos **grandezas diretamente proporcionais**, **grandezas inversamente proporcionais** e como resolver os problemas que as envolvem

1 – Grandezas diretamente proporcionais e taxa de variação

Exemplo 1:

Imagine a seguinte situação: um automóvel parte do quilômetro 0 de uma estrada e desloca-se com velocidade constante de 80 km/h.

a) Complete a tabela abaixo com os marcos quilométricos do automóvel nos instantes indicados.

t (horas)	0	1	2	2,5	3	4	5	6
s, Marco quilométrico (km)	0							

b) Escreva a fórmula que expressa a posição s do automóvel em função do tempo t

Nesse exemplo, a partir da 1h, observa-se que as grandezas espaço e tempo variam simultaneamente, de modo que a razão $\frac{s}{t}$ permanece constante:

$$\frac{s}{t} = \frac{80}{1} = \frac{160}{2} = \frac{200}{2,5} = \frac{240}{3} = \frac{320}{4} = \frac{400}{5} = \frac{480}{6} = 80 \text{ km/h}$$

Por isso dizemos que as grandezas **s** e **t** são **diretamente proporcionais**.

> **Definição:** duas grandezas x e y são diretamente proporcionais quando seus valores aumentam simultaneamente de tal modo que a razão $\frac{y}{x}$ permanece constante.
>
> $\frac{y}{x} = a \Rightarrow y = a \cdot x$ a constante "a" é chamada de **taxa de variação**.

Obs.: no exemplo dado, a taxa de variação $\frac{s}{t}$ é chamada de **velocidade**. Indiquemos por **v** essa taxa. Então tem-se $\frac{s}{t} = v$ ou $v = \frac{s}{t}$ ou $s = v \cdot t$

63

2 – Função afim e taxa de variação

Exemplo 2:

Imagine a seguinte situação: um automóvel parte do quilômetro 30 de uma estrada e desloca-se com velocidade constante de 80 km/h.

a) Complete a tabela abaixo com os marcos quilométricos do automóvel nos instantes indicados.

t (horas)	0	1	2	2,5	3	4	5	6
s Marco quilométrico (km)	30							

b) Escreva a fórmula que expressa a posição **s** do automóvel em função do tempo **t**

Note que quando **t** varia de 0h para 2h, **s** varia $190 - 30 = 160$ km $= 2 \cdot 80$ km

Quando **t** varia de 3h para 4h, **s** varia de $350 - 270 = 80$ km.

Quando **t** varia de 2h para 2,5h, **s** varia de $230 - 190 = 40$ km $= 0{,}5 \cdot 80$ km.

Quando **t** varia de 3h para 6h, **s** varia de $510 - 270 = 240$ km $= 3 \cdot 80$ km.

t (horas)	0	1	2	2,5	3	4	5	6
s Marco quilométrico (km)	30	110	190	230	270	350	430	510

Nesse exemplo, vê-se que a variação de s a partir de $s_0 = 30$ é diretamente proporcional à variação de **t** a partir de $t_0 = 0$. Portanto, podemos escrever que

$$\frac{s - s_0}{t - t_0} = v \Rightarrow s - s_0 = v(t - t_0) \Rightarrow s = s_0 + vt - vt_0 \Rightarrow s = \underbrace{(s_0 - vt_0)}_{} + vt$$

$$= 30 - 80 \cdot 0 + 80t$$
$$= 30 + 80t$$

Portanto, s = 30 + 80t.

Obs.: Quando a variação de y a partir de certo valor y_0 é diretamente proporcional à variação de x a partir de x_0, podemos escrever

$$\frac{y - y_0}{x - x_0} = a \Rightarrow y - y_0 = a \cdot (x - x_0) \Rightarrow y - y_0 = a \cdot x - a \cdot x_0 \Rightarrow y = a \cdot x + \underbrace{(y_0 - a \cdot x_0)}_{\text{constante}}$$

Isto é, y = ax + b, **a** e **b** constantes

Diz-se, nesse caso, que as grandezas **y** e **x** têm **variações diretamente proporcionais**.

Isso significa que quando **x** varia de uma unidade, a partir de qualquer ponto, o valor correspondente de **y** varia de **a** unidades. (Lembrando: a constante **a** é chamada de taxa de variação da função **y=ax+b**).

3 – Interpretação gráfica / geométrica

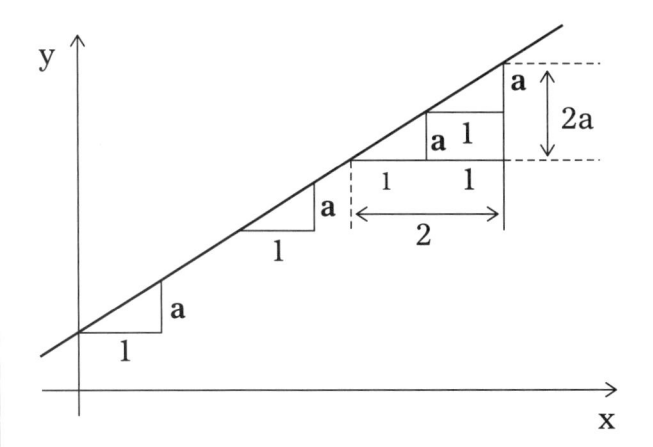

y=ax+b

a > 0

y varia a uma taxa constante e igual a **a**.

A função é crescente a taxa constante.

A taxa de variação também pode ser negativa.

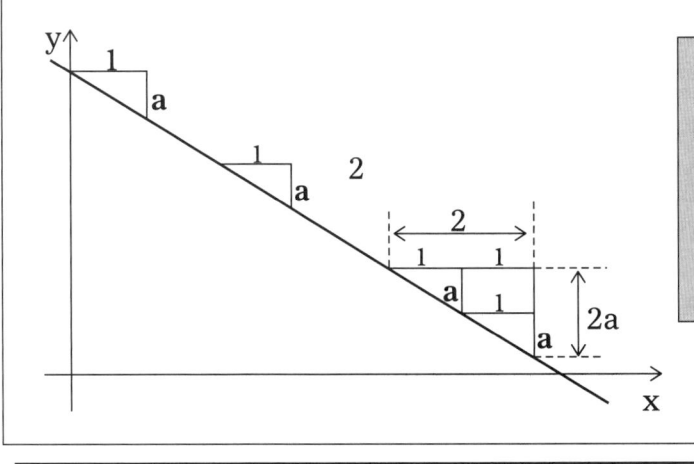

y= ax+b

a < 0

y varia a uma taxa constante e igual a **a**.

A função é decrescente a taxa constante.

Resp: Exemplo1: a)

t (horas)	0	1	2	2,5	3	4	5	6
s Marco quilométrico (km)	0	80	160	200	280	320	400	480

b) s = 80 · t; s em km, t em horas.

Exemplo2: a)

t (horas)	0	1	2	2,5	3	4	5	6
s Marco quilométrico (km)	30	110	190	230	270	350	430	510

b) s = 30 + 80 · t; s em km, t em horas.

Exemplo 1: Dada a função y = 3x + 7, determine a variação no valor de y, quando x passa de 16 a 17.

Resolução:

Primeiro modo.

Para $x_1=16$, tem-se $y_1=3 \cdot 16+7 \Rightarrow y_1=55$.

Para $x_2=17$, tem-se $y_2=3 \cdot 17+7 \Rightarrow y_2=58$.

Portanto, a variação no valor de y, quando x passa de 16 a 17 é igual a 58 − 55 = 3.

Segundo modo.

Note que em y=3x+7, a taxa de variação é a=3. Portanto uma variação de uma unidade em x acarreta uma variação de 3 unidades em y.

Exemplo 2: Dada a função y=5x − 12, calcule quanto será variação no valor de y quando x passa de 80 para 84.

Resolução:

Note que em y=5x − 12, a taxa de variação é a=5. Isso significa que uma variação de uma unidade em x acarreta uma variação de 5 unidades em y. Portanto a variação de 84 − 80=4 unidades em x acarretará uma variação de 4 · 5=20 unidades em y.

Resposta: a variação em y será de 20 unidades.

Exemplo 3: Uma empresa que presta serviço de entrega cobra uma taxa fixa de R$ 10,00 por corrida e mais R$ 5,00 por quilômetro rodado até os pontos de entrega.

a) Escreva a sua fórmula que descreve o faturamento da empresa, por entrega realizada, em função dos quilômetros rodados. Especifique quais são as grandezas envolvidas e suas respectivas unidades.

b) Qual a taxa de variação da função descrita pela fórmula do item anterior?

Resolução:

a) Sejam y e x as grandezas reais (cobrados) e quilômetros rodados, respectivamente. A partir do valor fixo de R$ 10,00 a variação no valor cobrado pela empresa é de R$ 5,00 para cada quilômetro rodado até o ponto de entrega. Então a variação de y a partir de R$ 10,00 é diretamente proporcional à variação de x a partir de 0 quilômetros. Logo, podemos escrever:

$$\frac{y-10}{x-0}=5 \Rightarrow y-10=5x \Rightarrow y=5x+10$$

(y em reais, x em quilômetros)

b) A taxa de variação é igual a R$ 5,00 por quilômetro.

Exemplo 4: Um paciente recebe 5 mL de uma certa medicação por hora, por via endovenosa. A enfermeira colocou uma embalagem de 100 mL em um suporte, para que a medicação fosse aplicada continuamente.

   a) Escreva a função que descreve a quantidade q da medicação restante na embalagem em função do tempo t.

   b) Qual é a taxa de variação de q em relação a **t**?

   c) A quantidade q é uma função crescente ou decrescente de t?

   d) Quantos mL da medicação sairão da embalagem em 2,5 horas?

Resolução:

   a) A variação da quantidade q da medicação, a partir de 100 mL diminui de forma diretamente proporcional à variação de t, a partir de 0 h. Então podemos escrever:

$$\frac{q-100}{t} = -5 \Rightarrow q - 100 = -5t \Rightarrow q = 100 - 5t$$

(q em mililitros, **t** em horas)

   b) a taxa de variação é de – 5 mL por hora.

   c) A quantidade q de medicação restante na embalagem é uma função decrescente de t, uma vez que a taxa de variação é negativa (– 5 mL /h).

   d) Após 2,5 horas, tem-se q = 100 – 5 · 2,5 $\Rightarrow$ q = 100 – 12,5 $\Rightarrow$ q = 87,5 mL.

---

89 Dada a função y = 5x + 12, determine:

a) a variação no valor de **y**, quando **x** passa de 25 a 26.

b) a variação no valor de **y**, quando **x** passa de 2016 a 2017.

c) a taxa de variação de **y** em relação a **x**.

d) a variação no valor de **y** quando **x** passa de 2537 a 2539.

90 Um garçom recebe um salário fixo mensal de R$ 1000,00 e mais R$ 3,00 por cliente que ele atende. Pede-se:

a) Sendo **y** o ganho mensal total do garçom e **x** o número de clientes que ele atendeu no mês, escreva a fórmula que expressa a interdependência entre **x** e **y**

b) Qual a taxa de variação de **y** em função de **x** ?

c) O que essa taxa, do item anterior, representa?

91 Um automóvel parte do quilômetro 20 de uma estrada e desloca-se com velocidade constante de 90 km/h.

a) Escreva a fórmula que expressa a posição **s** do automóvel em função do tempo **t**.

b) Qual a taxa de variação de **s** em função de **t** ?

c) O que representa a taxa de variação de **s** em função de **t** ?

92 O custo de produção (em reais) de certo brinquedo é dado por C(x) = 700 + 40x, em que x é o número de brinquedos.

a) Qual a taxa de variação do custo em função do número de brinquedos?

b) Se a produção de brinquedos em um dia superou a produção do dia anterior em 12 unidades, de quanto foi o aumento verificado no custo?

93 Seja a função $f(x) = 56 + x \cdot \sqrt[3]{2\pi}$. Calcule $f(1729) - f(1728)$.

94 O volume **V** de um gás contido em um cilindro varia com o tempo **t** de acordo com a expressão **V = 500 – 6t** (V em litros, t em horas).

a) Qual a taxa de variação de **V** em função de **t** ?

b) O volume **V** é uma função crescente ou decrescente de **t** ?

c) Quantos litros do gás saem do cilindro em um dia?

95 O sistema de ar condicionado de um escritório, ao ser acionado, diminui a temperatura segundo a expressão **C = 50 – 2t** (C em graus Celsius e t em minutos), até que seja atingida a temperatura ambiente de 20 °C.

a) Qual a taxa de variação de **C** em função de **t** ?

b) Após quanto tempo, depois de acionado o sistema de ar condicionado, a temperatura ambiente é atingida?

96 Em uma linha de montagem a esteira A despacha 20 produtos por minuto e os envia a outra esteira intermediária I, que os envia para a esteira B à razão de 20 produtos por minuto. Em certo momento, devido à uma queda de energia, a esteira I fica inoperante e acumula 200 produtos, quando volta a funcionar. Para não atrasar a produção, o sistema é modificado para que a esteira intermediária, a partir deste momento, envie 24 produtos por minuto para a esteira B.

a) Expresse a quantidade **Q** de produtos na esteira intermediária em função do tempo **t** , a partir do instante em que voltou a funcionar.

b) Qual a taxa de variação de **Q** em função de **t** ?

Resp: **89** a) 5   b) 5   c) 5   d) 10

4 – Grandezas inversamente proporcionais

Exemplo:

Viajando com velocidade de 50 km/h um ônibus vai da cidade A até a cidade B em 12 horas.

a) Calcule a distância entre as cidades A e B.

b) Preencha a tabela abaixo com o tempo gasto pelo ônibus para fazer a viagem da cidade A até a cidade B, de acordo com as velocidades indicadas.

v Velocidade (km/h)	40	50	60	80	100	120
t Tempo de viagem (horas)		12				

c) Escreva a fórmula que expressa a relação que existe entre **v** e **t**.

Nesse exemplo, observa-se que as grandezas velocidade e tempo variam simultaneamente, de modo que o produto **v · t** permanece constante:

$40 \cdot 15 = 50 \cdot 12 = 60 \cdot 10 = 80 \cdot 7,5 = 100 \cdot 6 = 120 \cdot 5 = 600$ km

Por isso dizemos que as grandezas v e t são inversamente proporcionais.

Definição: duas grandezas **x** e **y** são inversamente proporcionais quando o valor de uma aumenta e o valor da outra diminui simultaneamente de tal modo que o produto **x · y** permanece constante.

$$x \cdot y = k \Rightarrow y = k \cdot \frac{1}{x} \qquad k : \text{constante de proporcionalidade}$$

Exemplo 5:

Para construir um certo muro são necessárias 8 horas por dia, durante 6 dias. Devido a uma nova determinação da empresa construtora, os operários só poderão trabalhar 4 horas por dia. Quanto tempo será necessário para a construção do mesmo muro, nessas novas condições?

Resolução:

Note que, nesse caso, as grandezas "hora por dia" e "dias" são inversamente proporcionais: **diminuindo-se** o número de horas por dia, será necessário **aumentar** proporcionalmente o número de dias para terminar o muro. Seja d o número de dias necessário para terminar a obra. Então

$8 \cdot 6 = 4 \cdot d \Rightarrow d = 12$

Resposta: serão necessários 12 dias.

Exemplo 6: Joana foi ao mercado e decidiu que compraria 10 latas de azeite, de 200 mL cada, para o seu restaurante. Caso ela optasse por comprar garrafas de 500 mL e levar a mesma quantidade anterior de azeite, quantas garrafas ela deveria comprar?

Resolução: Sendo x o número de garrafas de 500 mL necessárias para igualar a mesma quantidade de azeite que Joana levaria em 10 latas de 200 mL, devemos ter:

$$10 \cdot 200 = 2000 \text{ mL} = x \cdot 500 \Rightarrow x = 4$$

Resposta: 4 garrafas.

Exemplo 7: Uma fábrica tem 6 máquinas que levam 10 horas para produzirem uma certa quantidade de peças. Devido à demanda o dono decidiu comprar mais duas máquinas. Quantas horas serão necessárias para realizar a produção da mesma quantidade de peças?

Resolução: As gandezas "número de máquinas" e tempo são inversamente proporcionais, pois aumentando-se o número de máquinas, o tempo necessário para produção diminuirá proporcionalmente. Então, sendo x o número de horas com as 6+2=8 máquinas em operação, devemos ter

$$6 \cdot 10 = 8 \cdot x \Rightarrow x = 7,5 \text{ horas.}$$

Resposta: a mesma produção de peças será feita em 7,5 horas.

Exemplo 8: Sabe-se que 8 torneiras abertas ao mesmo tempo enchem alguns caminhões pipa (inicialmente vazios) em 15 horas. Quantas torneiras novas deveriam ser instaladas para reduzir-se o tempo de enchimento para 10 horas?

Resolução: Quanto mais torneiras abertas, menos tempo, proporcionalmente, para encher os caminhões. Portanto as grandezas "número de torneiras" e tempo (para encher) são inversamente proporcionais. Sendo x o número de horas necessárias para encher os caminhões em 10 horas, tem-se:

$$8 \cdot 15 = 10 \cdot x \Rightarrow x = 12 \text{ torneiras.}$$

Resposta: será necessária a instalação de 12 – 8 = 4 novas torneiras.

---

97 Sabe-se que 10 operários conseguem estruturar e concretar uma laje em 4 dias. Porém 2 deles entraram em férias. Quanto tempo será gasto para que os operários restantes façam a estrutura e a concretagem de uma laje com as mesmas dimensões da primeira?

Resp: **90** a) y = 1000 + 3x　b) R$ 3,00　c) taxa em questão representa a variação de y, em reais, por cliente atendido.
91 a) s = 20 + 90t　b) 90 km/h　c) A taxa em questão representa a variação do espaço s por unidade de tempo.
92 a) R$ 40,00　b) R$ 480,00　**93** $\sqrt[3]{2\pi}$　**94** a) – 6 litros　b) decrescente　c) 144 litros.
95 a) – 2 ºC/ min.　b) 15 minutos.　**96** a) Q =200 – 4t, Q em produtos, t em minutos　b) – 4 produtos/min.

98 Viajando a uma velocidade constante de 80 km/h um motorista faz uma viagem em 6 horas. Caso o motorista viajasse a uma velocidade constante de 120 km/h, em quanto tempo ele faria essa mesma viagem?

99 Um estádio de futebol tem 4 portões de entrada, de mesma largura e altura que, quando abertos a um fluxo contínuo de torcedores, permite que o estádio fique lotado em meia hora. Para facilitar este fluxo de torcedores, será construído mais um portão com as mesmas dimensões dos já existentes. Supondo que o fluxo de torcedores que ingressam seja contínuo e todos os portões sejam abertos, em quanto tempo a estádio ficará lotado?

100 Quatro torneiras de mesma vazão enchem uma piscina, inicialmente vazia, em 12 horas. Se forem instaladas mais duas torneiras, quanto tempo será necessário para encher a mesma piscina, inicialmente vazia?

5 – Problemas de Proporcionalidade Direta e Inversa

Nos exemplos mais simples, vistos anteriormente, foram apresentados problemas em que era necessário determinar o valor incógnito de uma grandeza em função de um valor conhecido desta grandeza e de dois valores dados de outra grandeza. Talvez por esse motivo esses problemas ficaram conhecidos como "**problemas de regra de três**", que é o que abordaremos agora de uma forma mais geral.

Exemplo 9:

> Trabalhando 6 horas por dia, 4 pedreiros constroem um muro de 30 m de comprimento em 10 dias. Se o número de horas trabalhadas por dia for aumentado para 8, o número de dias for reduzido para 7 e o número de pedreiros for aumentado para 6, qual será o comprimento do muro de mesma altura que eles construirão?

Resolução:

Horas por dia **h**	Pedreiros **p**	Comprimento **C**	Dias **d**
6	4	30	10
8	6	x	7

O comprimento **C** do muro a ser construído é uma função **C=C** (h,p,d) que depende de três variáveis: **h**, que é o número de horas diárias de trabalho, p que é o número de pedreiros e d que é o número de dias de trabalho.

Além disso, temos que:
- o comprimento **C** do muro a ser construído é diretamente proporcional ao número **h** de horas diárias de trabalho (se **h** duplica, então **C** também duplica; se h cai pela metade, então **C** também cai pela metade);
- o comprimento **C** do muro a ser construído é diretamente proporcional ao número **p** de pedreiros trabalhando na obra (se **p** triplica, então **C** também triplica) e
- o comprimento **C** do muro a ser construído é diretamente proporcional ao número **d** de dias trabalhado (se **d** triplica, então **C** triplica; se **d** quadruplica, então **C** quadruplica).

Desse modo, podemos escrever que

$$C = k \cdot h \cdot p \cdot d$$

em que **k** é uma constante de proporcionalidade.

- Usamos os dados da primeira linha da tabela acima para determinar o valor de **k**:

$$C = k \cdot h \cdot p \cdot d \Rightarrow 30 = k \cdot 6 \cdot 4 \cdot 10 \Rightarrow k = \frac{1}{8}$$

- Agora usamos o valor de **k** para resolver a segunda linha da tabela:

$$C = k \cdot h \cdot p \cdot d \Rightarrow x = \frac{1}{8} \cdot 8 \cdot 6 \cdot 7 \Rightarrow x = 42$$

Resposta: o muro terá 42 metros.

Exemplo 10:

Se 8 máquinas, funcionando 6 horas por dia produzem 600 peças em 40 dias, quantos dias serão necessários para que 10 dessas máquinas, trabalhando 8 horas por dia, produzam 800 peças?

Resolução:

Máquinas m	Horas por dia h	Peças p	Dias d
8	6	600	40
10	8	800	x

O número **d** de dias necessários à produção é uma função d=d(m,h,p) do número **m** de máquinas, do número **h** de horas diárias de funcionamento das máquinas e do número **p** de peças a serem fabricadas.

Além disso, temos que:
- o número **d** de dias é diretamente proporcional à quantidade **p** de peças a serem produzidas (se **d** duplica, então **p** também duplica; se **d** cai a um terço, então **p** também cai a um terço);
- o número **d** de dias é inversamente proporcional à quantidade **m** de máquinas disponíveis (fixada a quantidade de peças, se **m** duplica, então **d** cai pela metade) e
- o número **d** de dias é diretamente inversamente proporcional à quantidade **h** de horas por dia (se **d** cai pela metade, então **h** tem que ser duplicado para que se mantenha a mesma produção).

Resp: Exemplo1: a) 600 km

c) $t \cdot v = 600$ ou $t = \frac{600}{v}$ ou $v = \frac{600}{t}$

b)

v Velocidade (km/h)	40	50	60	80	100	120
t Tempo de viagem	15	12	10	7,5	6	5

97 5 dias

Assim, podemos escrever que

$$d = k \cdot p \cdot \frac{1}{m} \cdot \frac{1}{h} \text{ ou, simplesmente, } d = k \cdot \frac{p}{m \cdot h}$$

em que **k** é uma constante de proporcionalidade.

Usamos os dados da primeira linha da tabela acima para determinar o valor de k:

$$d = k \cdot \frac{p}{m \cdot h} \Rightarrow 40 = k \cdot \frac{600}{8 \cdot 6} \Rightarrow k = \frac{16}{5}$$

Agora usamos o valor de **k** para resolver a segunda linha da tabela:

$$d = k \cdot \frac{p}{m \cdot h} \Rightarrow x = \frac{16}{5} \cdot \frac{800}{10 \cdot 8} \Rightarrow x = 32$$

Resposta: serão necessários 32 dias.

Exemplo 11:

Para poder semear, um jardineiro gasta 5 horas preparando um terreno quadrado com 3 m de lado. No próximo serviço o jardineiro terá que preparar um terreno quadrado com 6 m de lado. Quanto tempo o jardineiro terá que gastar para deixar esse segundo terreno preparado para a semeadura?

Resolução:

O número **h** de horas gastas na preparação do terreno não é diretamente proporcional ao lado **L** do terreno. Na verdade, o número **h** de horas é diretamente proporcional à área do terreno, que no caso é igual a L^2. Podemos escrever:

$h = k \cdot L^2$, em que **k** é a constante de proporcionalidade.

Então, para a primeira situação, temos:

$$5 = k \cdot 3^2 \Rightarrow k = \frac{5}{9}$$

Para a situação do segundo terreno podemos escrever:

$$h = \frac{5}{9} \cdot 6^2 \Rightarrow h = 20$$

Resposta: O jardineiro irá gastar 20 horas na preparação do terreno quadrado de lado 6 m.

Comentário: veja na figura porque o número de horas no segundo trabalho é quatro vezes maior do que no primeiro trabalho.

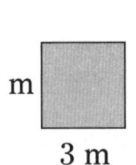

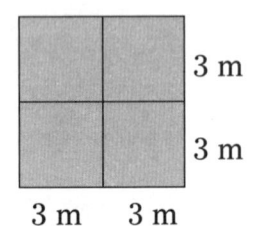

Exemplo 12:

Cinquenta homens abriram um canal com 120 m de comprimento, 1,8 metro de largura e 3 metros de profundidade. Para isso, trabalharam 40 dias seguidos, 8 horas por dia. Com 60 homens, trabalhando 10 horas por dia, qual será o comprimento de um canal com 2,5 metros de largura e 2 metros de profundidade, se eles trabalharem 50 dias?

Resolução:

Número de homens N	Dias de trabalho D	Horas por dia H	Volume de terra (m3) C·L·A
50	40	8	120 · 1,8 · 3
60	50	10	x · 2,5 · 2

O comprimento **C** do canal é diretamente proporcional ao número de homens, de dias de trabalho e de horas de trabalho diário. Porém, é inversamente proporcional à largura e ao comprimento do canal. Por isso, podemos escrever:

$$C = k \cdot \frac{N \cdot D \cdot H}{L \cdot A}$$

em que k é uma constante de proporcionalidade.

Usamos os dados da primeira linha da tabela para determina essa constante k:

$$C = k \cdot \frac{N \cdot D \cdot H}{L \cdot A} \Rightarrow 120 = k \cdot \frac{50 \cdot 40 \cdot 8}{1,8 \cdot 3} \Rightarrow k = \frac{81}{2000}$$

Agora usamos esse valor de k para resolver a segunda linha da tabela:

$$C = k \cdot \frac{N \cdot D \cdot H}{L \cdot A} \Rightarrow x = \frac{81}{2000} \cdot \frac{60 \cdot 50 \cdot 10}{2,5 \cdot 2} \Rightarrow x = 243$$

Resposta: o canal, nessas novas condições terá 243 m.

Exemplo 13: (CESGRANRIO 1994) 3 profissionais fazem 24 peças em 2 horas, e 4 aprendizes fazem 16 peças em 3 horas. Em quantas horas 2 profissionais e 3 aprendizes farão 48 peças?

Resolução:

Profissionais A	Peças p	Horas h
3	24	2
2	x	1

Aprendizes B	Peças p	Horas h
4	16	3
3	y	1

Vamos determinar quantas peças **2 profissionais** fazem em **1 hora**:

$p = k_1 \cdot A \cdot h \Rightarrow 24 = k_1 \cdot 3 \cdot 2 \Rightarrow k_1 = 4$

$x = 4 \cdot 2 \cdot 1 \Rightarrow x = 8$ (**2 profissionais fazem 8 peças por hora**).

Agora, vejamos quantas peças são feitas por **3 aprendizes em uma hora**:

$p = k_2 \cdot A \cdot h \Rightarrow 16 = k_2 \cdot 4 \cdot 3 \Rightarrow k_2 = \frac{4}{3}$

$y = \frac{4}{3} \cdot 3 \cdot 1 \Rightarrow x = 4$ (**3 aprendizes fazem 4 peças por hora**).

Ou seja, em cada hora, 2 profissionais e 3 aprendizes fazem 8 + 4 = 12 peças.

Para fazerem 48 peças, que é quatro vezes 12 peças, serão necessárias 4 vezes 1 hora, isto é, serão necessárias 4 horas.

Exemplo 14:

Um piscicultor dispõe de uma torneira A que enche um tanque em 28 minutos. Outra torneira, B, enche o mesmo tanque em 21 minutos. Ambas as torneiras são abertas simultaneamente, com o tanque inicialmente vazio. Em quanto tempo o tanque estará cheio?

Resolução:

Usando o mesmo raciocínio do problema anterior, vejamos que fração da capacidade C do tanque é preenchida pelas torneiras em 1 minuto:

Resp: | 98 | 4 horas | 99 | 24 mim | 100 | 8 horas

- Torneira A: enche **C** em 28 minutos. Então, em 1 minuto encherá $\frac{1}{28} \cdot C$.
- Torneira B: enche **C** em 21 minutos. Então, em 1 minuto encherá $\frac{1}{21} \cdot C$.

Então, em 1 minuto, ambas as torneiras abertas encherão:

$$\frac{C}{28} + \frac{C}{21} = \frac{21 \cdot C + 28 \cdot C}{28 \cdot 21} = \frac{49}{28 \cdot 21} \cdot C = \frac{1}{12} \cdot C$$

Portanto, as duas torneiras encherão a capacidade **C** do tanque em 12 minutos.

Também poderíamos ter resolvido o problema organizando as informações com tabelas:

Torneira A

Tempo t	Volume Preenchido
28	C
1	$\frac{C}{28}$

Torneira B

Tempo t	Volume Preenchido
21	C
1	$\frac{C}{21}$

Torneira A e B juntos

Tempo t	Volume Preenchido
1	$\frac{C}{12}$
x	C

Como as grandezas tempo e capacidade preenchida são diretamente proporcionais, podemos escrever: $\frac{1}{x} = \frac{\frac{C}{12}}{C} \Rightarrow \frac{1}{x} = \frac{C}{12 \cdot C} \Rightarrow \frac{1}{x} = \frac{1}{12} \Rightarrow x = 12$

Resposta: com ambas torneiras abertas simultaneamente o tanque será enchido em 12 minutos.

Exemplo 15: (Colégio Naval - 1996)

Certa máquina trabalhando 5 horas por dia produz 1200 peças em 3 dias. O número de horas que deverá trabalhar no 6º. dia para produzir 1840 peças, se o regime de trabalho fosse 4 horas diárias seria:

a) 18 h   b) 3,75 h   c) 2 h   d) 3 h   e) nenhuma hora

Resolução:

Horas por dia h	Peças p	Dias d
5	1200	3
4	x	5

Vamos usar essa tabela para determinar quantas peças seriam produzidas em 4 horas diárias de trabalho, durante 5 dias.

Note que o número **p** de peças é uma função **p (h, d)** do número **h** de horas diárias de trabalho e do número **d** de dias de trabalho.

Além disso, o número **p** de peças é diretamente proporcional ao número **h** de horas diárias de trabalho e ao número **d** de dias de trabalho. Por esse motivo podemos escrever

$$p = k \cdot h \cdot d,$$

onde **k** é uma constante de proporcionalidade.

- Usamos a primeira linha da tabela para determinar o valor de k:
$$1200 = k \cdot 5 \cdot 3 \Rightarrow k = 80$$
- Usamos a esse valor de k e a segunda linha da tabela para determinar x:
$$p = k \cdot h \cdot d \Rightarrow x = 80 \cdot 4 \cdot 5 \Rightarrow x = 1600$$

Ou seja, até o quinto dia teriam sido produzidas 1600 peças. No sexto dia deseja-se atingir a marca de 1840 peças. Logo, deve-se produzir no sexto dia 1840 − 1600 = 240 peças. A pergunta do problema é: em quantas horas? Vejamos então como ficaria a terceira linha da tabela:

Horas por dia **h**	Peças **p**	Dias **d**
5	1200	3
4	1600	5
y	240	1

Usando $p = k \cdot h \cdot d$, teremos: $240 = 80 \cdot y \cdot 1 \Rightarrow y = 3$

Resposta: serão necessárias 3 horas de trabalho no sexto dia. Alternativa D.

Exemplo 16: (UFSC 2010) Assinale a alternativa que responde corretamente à pergunta a seguir.

Um criador de frangos tem ração para alimentar seus 42 frangos durante 30 dias; no fim de 6 dias compra mais 30 frangos. Quanto tempo durará a ração, se a quantidade de ração diária de cada frango for constante?

a) 18 dias   b) 16 dias   c) 9 dias   d) 14 dias   e) 20 dias

Resolução:

Devemos analisar a situação a partir do sexto dia, quando restarão ainda 30 − 6 = 24 dias para alimentar todos os frangos.

Frangos **F**	Dias **D**
42	24
42 + 30	x

Note que as grandezas dias e frangos são inversamente proporcionais (aumentando-se o número de frangos, diminui-se proporcionalmente o número de dias de duração da ração). Então podemos escrever:

$D = k \cdot \dfrac{1}{F}$, sendo k uma constante de proporcionalidade.

- Usamos a primeira linha da tabela para determinar o valor dessa constante k:
$$24 = k \cdot \dfrac{1}{42} \Rightarrow k = 24 \cdot 42$$
- Usamos esse valor de k e a segunda linha da tabela para determinar x:
$$D = k \cdot \dfrac{1}{F} \Rightarrow x = 24 \cdot 42 \cdot \dfrac{1}{72} \Rightarrow x = 14$$

Resposta: a ração durará 14 dias. Alternativa D.

101 (Faap 1997) Duas grandezas L e M são diretamente proporcionais e têm suas medidas relacionadas conforme a tabela:

L	2	4	y	8	t
M	x	36	54	z	108

A soma dos valores de x, y, z e t é
a) 66   b) 36   c) 72   d) 54   e) 108

102 (Mackenzie 1997) Na tabela a seguir, de valores positivos, F é diretamente proporcional ao produto de L pelo quadrado de H.

F	L	H
2000	3	4
3000	2	x

Então **x** vale:
a) 5   b) 6   c) 7   d) 8   e) 9

103 (UERJ 1999) Uma máquina que, trabalhando sem interrupção, fazia 90 fotocópias por minuto foi substituída por outra 50% mais veloz. Suponha que a nova máquina tenha que fazer o mesmo número de cópias que a antiga, em uma hora de trabalho ininterrupto, fazia.

Para isso, a nova máquina vai gastar um tempo mínimo, em minutos, de:

a) 25   b) 30   c) 35   d) 40

104 (UFPE 2000) Suponha que x^2 macacos comem x^3 bananas em x minutos (onde x é um número natural dado). Em quanto tempo espera-se que 5 destes macacos comam 90 bananas?

a) 11 minutos   b) 18 minutos   c) 16 minutos   d) 13 minutos   e) 15 minutos

105 (UFSM 2002) Um trabalhador gasta 3 horas para limpar um terreno circular de 5 metros de raio. Se o terreno tivesse 15 metros de raio, ele gastaria

a) 6 horas.   b) 9 horas.   c) 18 horas.   d) 27 horas.   e) 45 horas.

106 (FGV 2002) Uma pizzaria vende pizzas com preços proporcionais às suas áreas. Se a pizza média tiver raio igual a 80% do raio da grande, seu preço será:

a) 59% do preço da grande.   b) 64% do preço da grande.   c) 69% do preço da grande.
d) 74% do preço da grande.   e) 80% do preço da grande.

107 (UEM 2004) Embalando alimentos doados para o programa "Fome Zero", 4 voluntários gastaram 75 horas. Se fosse possível contar com 12 voluntários, trabalhando no mesmo ritmo daqueles 4, em quanto tempo o trabalho teria sido feito?

108 (G1 – CFTMG 2004) Um pintor **X** executa determinada tarefa em 6 horas de trabalho. A mesma tarefa é executada pelo pintor **Y** em 10 horas de trabalho. Se **X**, após trabalhar 4 horas, deixasse o restante para o pintor **Y** concluir, este terminaria a tarefa em

a) 3h e 20min b) 3h e 30min c) 3h e 40min d) 4h e 40min

109 (G1 – CFTMG 2005) Um determinado trabalho é feito por João em 9 dias, por José em 12 e por Pedro em 18. O número de dias que os três juntos gastariam para executar esse trabalho é

a) 4 b) 6 c) 7 d) 8

110 (G1 – CFTCE 2006) Um ciclista percorreu 150 km em 3 dias, pedalando 2 horas, diariamente. Pedalando 4 horas por dia, durante 4 dias, ele percorrerá _____ quilômetros.

a) 300 b) 350 c) 400 d) 450 e) 500

111 (PUCSP 2006) Às 8 horas de certo dia, um tanque, cuja capacidade é de 2000 litros, estava cheio de água; entretanto, um furo na base desse tanque fez com que a água por ele escoasse a uma vazão constante. Se às 14 horas desse mesmo dia o tanque estava com apenas 1.760 litros, então a água em seu interior se reduziu à metade às

a) 21 horas do mesmo dia. b) 23 horas do mesmo dia. c) 4 horas do dia seguinte.

d) 8 horas do dia seguinte. e) 9 horas do dia seguinte.

112 (G1 – CFTCE 2006) Três torneiras enchem um tanque: a primeira em 15 horas; a segunda em 20 horas; e a terceira em 30 horas. Há um escoadouro que pode esvaziar o tanque em 40 horas. Estando as três torneiras e o escoadouro a funcionar, calcule em quantas horas o tanque poderá ficar cheio.

113 (UFRRJ 2007) Um tanque de volume V é abastecido por duas torneiras A e B. A torneira A sozinha enche o tanque em 10 minutos e a torneira B, também sozinha, em 20 minutos.

Calcule o tempo que as torneiras A e B juntas levam para encher o tanque.

114 (G1 – EPCAR 2020) Dois irmãos, Luiz e Guilherme, têm uma pequena fábrica de móveis de madeira.

Luiz fabrica 20 cadeiras do modelo A em 3 dias de 4 horas de trabalho por dia. Já Guilherme fabrica 15 cadeiras do modelo A em 8 dias de 2 horas de trabalho por dia.

Uma empresa fez uma encomenda à fábrica de 250 cadeiras do modelo

Para atender à demanda, os irmãos trabalharam juntos, no ritmo de 6 horas por dia, gastando então, **y** dias para concluir o trabalho e entregar a encomenda.

O número **y** é tal que

a) possui raiz quadrada exata.   b) divide 100   c) é divisor de 150   d) é múltiplo de 12

Resp: **101** E   **102** B   **103** D   **104** B   **105** D   **106** B   **107** 25 horas

115 (UFPR 2019) Suponha que a carga suportada por uma viga seja diretamente proporcional à sua largura e ao quadrado de sua espessura e inversamente proporcional ao seu comprimento. Sabendo que uma viga de 2 m de comprimento, 15 cm de largura e 10 cm de espessura suporta uma carga de 2 400 kg qual é a carga suportada por uma viga de 20 cm de largura, 12 cm de espessura e 2,4 m de comprimento?

a) 2 880 kg b) 3 200 kg c) 3 456 kg d) 3 840 kg e) 4 608 kg

116 (G1 – IFPE 2019) Estudando 3 horas por dia durante 16 dias, Iago realizou 400 exercícios. Quanto tempo seria necessário para que ele realizasse 500 exercícios estudando 4 horas por dia?

a) 18 dias b) 16 dias c) 20 dias d) 12 dias e) 15 dias

117 (PUCRJ 2018) Um estudante vai a pé da escola até o metrô. Se ele caminha a 6 km/h ele demora 20 minutos. Se ele corre, ele demora apenas 12 minutos.

Com que velocidade ele corre?

a) 10 km/h b) 12 km/h c) 25 km/h d) 9 km/h e) 8 km/h

118 (ESPM 2018) Juntas, as torneiras A e B enchem um tanque em 24 min. Se apenas a torneira A estiver aberta, o tempo de enchimento é de 1 h. Podemos concluir que, se apenas a torneira B estiver aberta, esse tanque ficaria cheio em:

a) 30 min.   b) 40 min.   c) 20 min.   d) 36 min.   e) 42 min.

119 (G1 – IFAL 2018) Uma máquina produz 100 unidades de um determinado produto em 4 dias. A empresa recebe uma encomenda de 3 000 unidades desse produto para ser entregue em 30 dias. Quantas máquinas devem ser usadas, no mínimo, para atender à encomenda no prazo dos 30 dias?

a) 4   b) 5   c) 6   d) 7   e) 8

120 (Fac. Albert Einstein - Medicina 2017) Adriana e Beatriz precisam produzir 240 peças. Juntas elas levarão um tempo **T** em horas, para produzir essas peças. Se Adriana trabalhar sozinha, ela levará (T + 4h) para produzir as peças. Beatriz, sozinha, levará (T + 9h) para realizar o serviço.

Supondo que cada uma delas trabalhe em ritmo constante, o número de peças que Adriana produz a mais do que Beatriz, a cada hora, é igual a

a) 6   b) 8   c) 9   d) 10

Resp: **108** A   **109** C   **110** C   **111** E   **112** 8 horas   **113** 6 minutos e 40 segundos   **114** A

121 (G1 – IFSUL 2017) Em uma indústria metalúrgica, 4 equipamentos operando 8 horas por dia durante 5 dias, produzem 4 toneladas de certo produto. O número de dias necessários para produzir 3 toneladas do mesmo produto por 5 equipamentos do mesmo tipo, operando 6 horas por dia é

a) 3   b) 4   c) 5   d) 6

122 (G1 – IFSP 2017) Um agricultor alimenta suas vacas com ração. Com 800 kg de ração, ele alimenta certa quantidade de vacas por 25 dias. Assinale a alternativa que apresenta o número de dias que essa mesma quantidade de vacas serão alimentadas, considerando que, desta vez, ele as alimentará com 640 kg de ração.

a) 18 dias.   b) 19 dias.   c) 20 dias.   d) 21 dias.   e) 22 dias.

123 (G1 – EPCAR 2017) Certa máquina, funcionando normalmente 5 horas por dia, gasta 3 dias para produzir 1 200 embalagens.

Atualmente está com esse tempo de funcionamento diário reduzido em 20%, trabalhando, assim, apenas T horas por dia.

Para atender uma encomenda de 1 840 embalagens, aproveitando ao máximo em todos os dias o seu tempo T de funcionamento, ela gastará no último dia

a) 120 minutos   b) 150 minutos   c) 180 minutos   d) 200 minutos

124 (UPE – 2017) Um grupo com 50 escoteiros vai acampar durante 28 dias. Eles precisam comprar uma quantidade de açúcar suficiente para esses dias e já sabem que a média de consumo por semana, para 10 pessoas é de 3 500 gramas de açúcar.

Quantos quilogramas de açúcar são necessários para os 28 dias de acampamento desse grupo?

a) 15,5   b) 17,5   c) 35   d) 50,5   e) 70

125 (G1 – IFPE 2017) Para configurar a rede de uma empresa, três técnicos em telecomunicação planejam trabalhar 8 horas por dia em 5 dias. O dono da empresa solicitou que o serviço fosse realizado em apenas 2 dias. Quantos técnicos mais terão que ser contratados para realizar o serviço a tempo, trabalhando 10 horas por dia?

a) 5   b) 1   c) 2   d) 4   e) 3

126 (UECE 2017) Um fazendeiro tem reserva de ração suficiente para alimentar suas 16 vacas durante 62 dias. Após 14 dias, o fazendeiro vendeu 4 vacas e continuou a alimentar as restantes seguindo o mesmo padrão inicial. Quantos dias, no total, durou sua reserva de ração?

a) 80   b) 78   c) 82   d) 76

127 (G1 – CFTMG 2017) Para executar uma reforma em uma loja, foram contratados **n** operários. O mestre de obras argumentou: "para entregar a obra 2 dias antes do prazo previsto, seria necessário contratar mais 3 operários; se, entretanto, 2 operários fossem dispensados a obra atrasaria em 2 dias." Considerando que os operários trabalhem da mesma forma, o número **n** de operários contratados foi

a) 6 b) 12 c) 18 d) 24

128 (FGV 2017) As torneiras A, B e C que operam com vazão constante, podem, cada uma, encher um reservatório vazio em 60 horas, 48 horas e 80 horas, respectivamente. Para encher esse mesmo reservatório vazio, inicialmente abre-se a torneira A por quatro horas e, em seguida, fecha-se a torneira A e abre-se a torneira B por quatro horas. Por fim, fecha-se a torneira B e abre-se a torneira C até que o reservatório se encha por completo.

De acordo com o processo descrito, o tempo necessário e suficiente para encher o reservatório por completo e sem transbordamento é de

a) 84 horas. b) 76 horas. c) 72 horas. d) 64 horas. e) 60 horas.

129 (ESPM 2016) Duas impressoras iguais imprimem 5000 páginas em 30 minutos. Se elas forem substituídas por uma só impressora 20% mais eficiente que cada uma das anteriores, 3600 páginas seriam impressas num tempo de:

a) 36 min. b) 42 min. c) 24 min. d) 28 min. e) 48 min.

130 (ESPM 2015) Sabe-se que uma grandeza A é inversamente proporcional ao quadrado de uma grandeza B e que, quando A vale 1, B vale 6. Pode-se afirmar que, quando A vale 4, a grandeza B vale:

a) 1   b) 1,5   c) 3   d) 4   e) 4,5

131 (ENEM PPL 2015) Uma confecção possuía 36 funcionários, alcançando uma produtividade de 5 400 camisetas por dia, com uma jornada de trabalho diária dos funcionários de 6 horas. Entretanto, com o lançamento da nova coleção e de uma nova campanha de *marketing*, o número de encomendas cresceu de forma acentuada, aumentando a demanda diária para 21 600 camisetas. Buscando atender essa nova demanda, a empresa aumentou o quadro de funcionários para 96. Ainda assim, a carga horária de trabalho necessita ser ajustada. Qual deve ser a nova jornada de trabalho diária dos funcionários para que a empresa consiga atender a demanda?

a) 1 hora e 30 minutos.   b) 2 horas e 15 minutos.   c) 9 horas.
d) 16 horas.   e) 24 horas.

132 (UFG 2012) Considere que a intensidade, em watts por metro quadrado, de um som que se propaga livremente no ar é inversamente proporcional ao quadrado da distância, em linha reta, até a fonte sonora. O som emitido pela sirene de uma ambulância possui uma intensidade de 10^{-2} W/m² a 10 m da sirene e, para uma pessoa à margem de uma rodovia retilínea ouvir a sirene, o som deve chegar aos seus ouvidos com uma intensidade mínima de 10^{-6} W/m². Mediante estas condições, calcule a que distância máxima é possível ouvir a sirene da ambulância.

Resp: 121 B   122 C   123 C   124 E   125 E   126 B

133 (Mackenzie 2012) Na figura, P é um ponto do gráfico da função y = f(x) com x e y inversamente proporcionais. Se (3,90) é um outro ponto da curva, então a área do triângulo OMP é

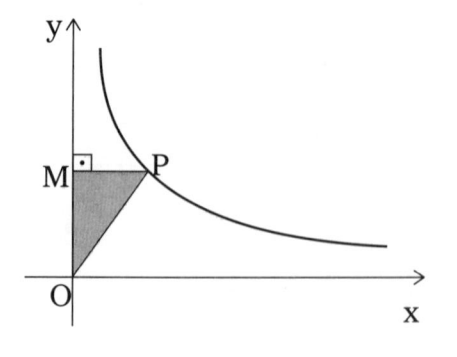

a) 135   b) 90   c) 180   d) 45   e) 270

134 (UEG 2008) Em uma rodovia, um motorista acionou o freio de seu carro quando sua velocidade era de 80 km/h, percorrendo ainda 60 m até parar completamente. Sabe-se que a distância percorrida por esse veículo até parar é diretamente proporcional ao quadrado da sua velocidade. Caso a frenagem tivesse ocorrido num momento em que a velocidade fosse de 120 km/h, antes de parar o veículo teria percorrido

a) 135 metros.   b) 124 metros.   c) 95 metros.   d) 147 metros.

Resp: **127** B **128** B **129** A **130** C **131** C **132** 1 km **133** A **134** A

IV TEOREMAS DE TALES E DAS BISSETRIZES

1 – Divisão de um segmento em uma razão.

Definição 1: dizemos que o ponto **M** divide internamente o segmento $\overline{AB}$ na razão **k** quando **M** está entre **A** e **B** e

$\dfrac{MA}{MB} = k$

A•————————•————————————•B
　　　　　　M

Definição 2: dizemos que o ponto **N** divide externamente o segmento $\overline{AB}$ na razão **k** quando **A** está entre **N** e **B** e

$\dfrac{NA}{NB} = k$

N•————————•————————————————•B
　　　　　　A

Exemplo: A•——4 cm——•——————8 cm——————•B
　　　　　　　　　　　　M

M divide $\overline{AB}$ na razão $\dfrac{MA}{MB} = \dfrac{4\ cm}{8\ cm} = \dfrac{1}{2}$

M divide $\overline{BA}$ na razão $\dfrac{MB}{MA} = \dfrac{8\ cm}{4\ cm} = \dfrac{2}{1}$

A divide $\overline{MB}$ na razão $\dfrac{MB}{MA} = \dfrac{8\ cm}{4\ cm} = \dfrac{2}{1}$

B divide $\overline{AM}$ na razão $\dfrac{BA}{BM} = \dfrac{12\ cm}{8\ cm} = \dfrac{3}{2}$

Teorema

Dado um segmento $\overline{AB}$ e uma razão **k**, existe apenas um ponto **M** que divide internamente o segmento nesta razão.

Demonstração

Suponhamos **M** e **M'**, ambos entre **A** e **B**, tais que

$\dfrac{MA}{MB} = k$ e $\dfrac{M'A}{M'B} = k$

A•————————•———•————•B
　　　　　　M　　M'

Então $\dfrac{MA}{MB} = \dfrac{M'A}{M'B}$

Logo $\dfrac{MA}{MB} + 1 = \dfrac{M'A}{M'B} + 1$

isto é $\dfrac{MA + MB}{MB} = \dfrac{M'A + M'B}{M'B}$

Ou seja $\dfrac{AB}{MB} = \dfrac{AB}{M'B} \Rightarrow MB = M'B \Rightarrow M = M'$

Observação: será deduzida em capítulo a fórmula para o cálculo da área de um triângulo, uma vez que sejam conhecidas uma base e a altura relativa a ela.

Trata-se de um resultado que será útil ao desenvolvimento da teoria deste capítulo. Portanto, enunciaremos:

> A área de um triângulo é o semi-produto da base pela respectiva altura.

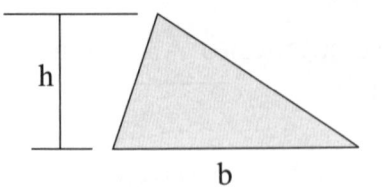

$$A_{tri} = \frac{1}{2} \cdot bh$$

Teorema

> Se dois triângulos têm alturas iguais, então a razão entre suas áreas é igual a razão entre as bases relativas a essas alturas.

Demonstração

De fato:

$$\frac{\text{área (I)}}{\text{área (I)}} = \frac{\frac{ah}{2}}{\frac{bh}{2}} = \frac{ah}{bh} = \frac{a}{b}$$

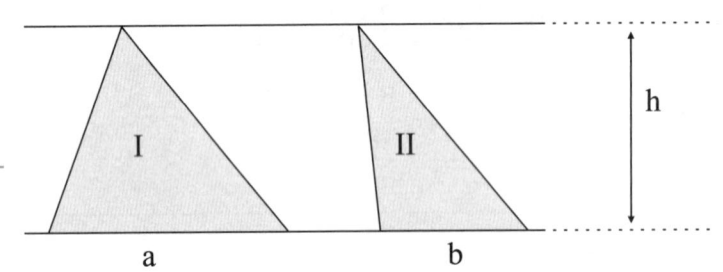

2 – Teorema de Tales

> Se duas retas transversais são interceptadas por um feixe de paralelas, então a razão entre dois segmentos determinados (por esse feixe) numa das transversais é igual a razão entre os dois segmentos correspondentes determinados na outra.

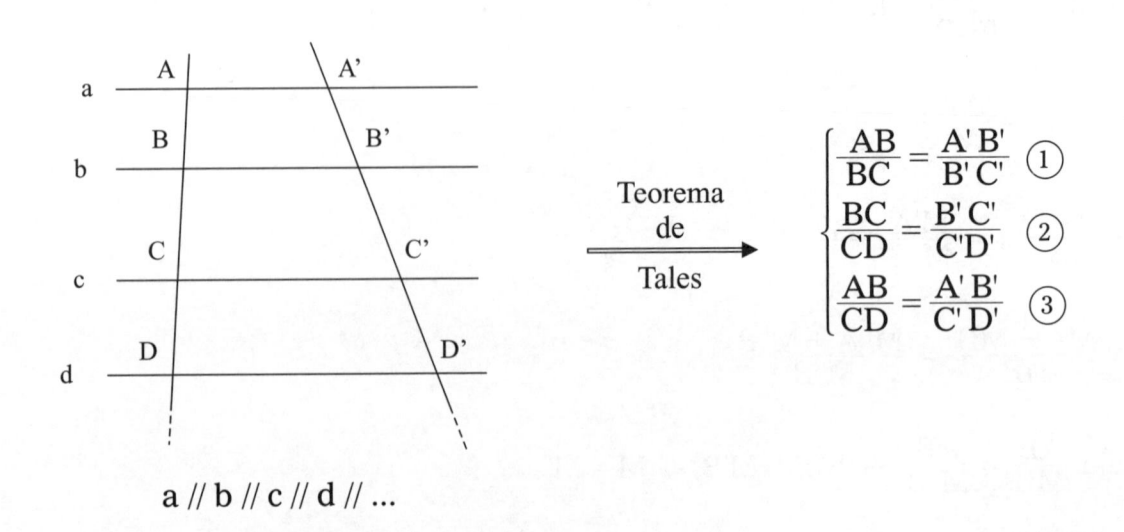

$$\begin{cases} \dfrac{AB}{BC} = \dfrac{A'B'}{B'C'} & \text{①} \\ \dfrac{BC}{CD} = \dfrac{B'C'}{C'D'} & \text{②} \\ \dfrac{AB}{CD} = \dfrac{A'B'}{C'D'} & \text{③} \end{cases}$$

a // b // c // d // ...

As equações acima podem ser escritas da seguinte forma:

① $\dfrac{AB}{A'B'} = \dfrac{AC}{B'C'}$ ② $\dfrac{BC}{B'C'} = \dfrac{CD}{B'C'}$ e ③ $\dfrac{AB}{A'B'} = \dfrac{CD}{C'D'}$

Pela propriedade transitiva, podemos concluir que

$$\boxed{\dfrac{AB}{A'B'} = \dfrac{BC}{B'C'} = \dfrac{CD}{C'D'} = \ldots}$$ ou seja

a razão entre dois segmentos correspondentes é constante

Demonstração:

Consideremos inicialmente o caso mais simples, que é quando as transversais se interceptam sobre uma das paralelas.

Note, que os triângulos BB'C e BB'C' têm mesma base BB' e mesma altura relativa a essa base (h). Logo, esses triângulos têm mesma área.

área (BB'C) = área (BB'C')   (1)

Os triângulos ABB' e BB'C têm mesma altura em relação às bases $\overline{AB}$ e $\overline{BC}$. Logo, pelo teorema:

$\dfrac{\text{área (ABB')}}{\text{área (BB'C)}} = \dfrac{AB}{BC}$ (2)

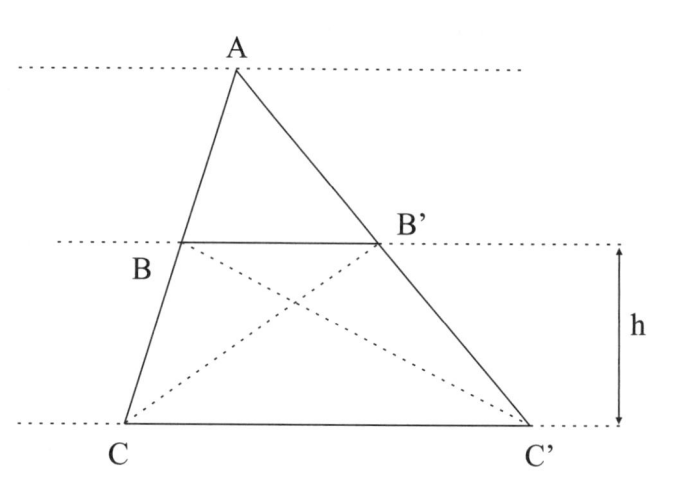

Analogamente:

$\dfrac{\text{área (ABB')}}{\text{área (BB'C')}} = \dfrac{AB'}{B'C'}$ (3)

Substituindo (1) em (2) e comparando com (3), segue que

$$\dfrac{AB}{BC} = \dfrac{AB'}{B'C'}$$

A **Figura 1** ilustra o caso mais geral. A **Figura 2** mostra que, traçando pelo ponto **A** paralela a outra transversal, obtém-se paralelogramos com AB" = A'B' e B"C" = B'C'. Então, repetindo-se o raciocínio anterior, chega-se a $\dfrac{AB}{BC} = \dfrac{A'B'}{B'C'}$.

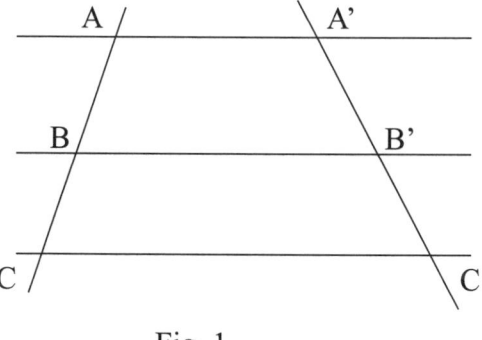

Fig. 1

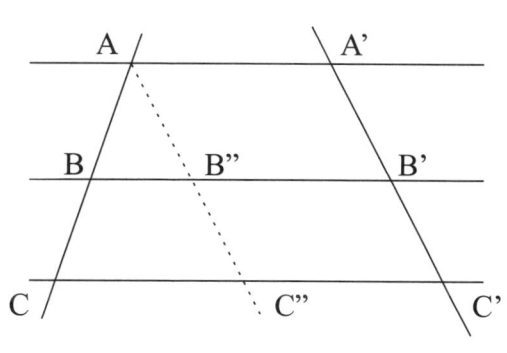

Fig. 2

3 – Recíproco do Teorema de Tales

Se uma reta intersecta dois lados de um triângulo, determinando, segmentos correspodentes de mesma razão, então essa reta é paralela à reta que contém o terceiro lado.

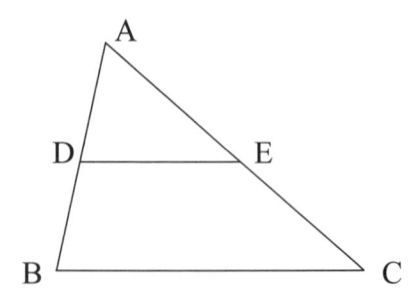

$$\frac{AD}{DB} = \frac{AE}{EC} \qquad \overleftrightarrow{DE} // \overleftrightarrow{BC}$$

Demonstração

Suponhamos, por absurdo que $\overleftrightarrow{DE}$ não fosse paralela a $\overleftrightarrow{BC}$. Então, pelo ponto D, existiria uma reta, digamos $\overleftrightarrow{DF}$ (F pertencente a $\overline{AC}$) tal que $\overleftrightarrow{DF}$ fosse paralela a $\overleftrightarrow{BC}$. Daí:

Tales $\frac{AD}{DB} = \frac{AF}{FC}$ e, por hipótese, $\frac{AD}{DB} = \frac{AE}{EC}$.
Comparando, temos $\frac{AF}{FC} = \frac{AE}{EC}$, o que é impossível pois, pelo teorema T1, só há um ponto que divide internamente o segmento AC numa dada razão.

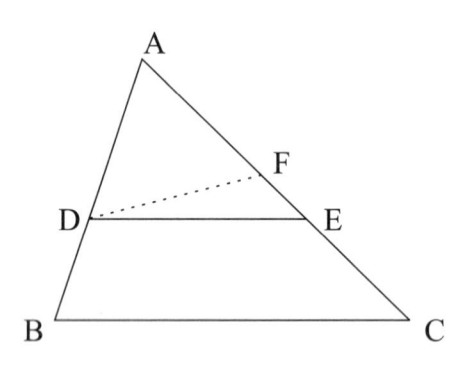

Portanto, podemos concluir que $\overleftrightarrow{DE}$ tem que ser, obrigatoriamente, paralela a $\overleftrightarrow{BC}$.

4 – Teorema da Bissetriz Interna

A bissetriz de um ângulo interno de um triângulo divide o lado oposto ao ângulo em dois segmentos proporcionais aos lados adjacentes ao ângulo.

$$\xrightarrow{T.B.I.} \boxed{\frac{a}{x} = \frac{b}{y}}$$

Demonstração

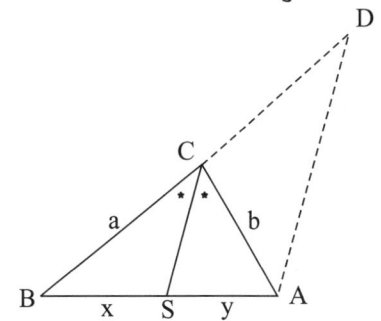

1.
Construímos por A, a paralela à $\overline{CS}$, que intercepta o prologamento de $\overline{BC}$ em D.

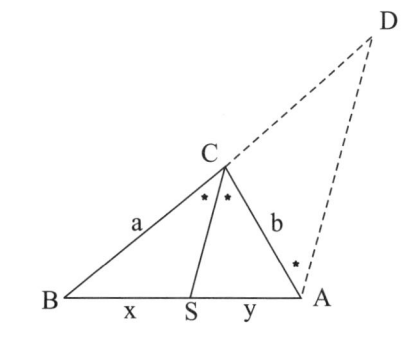

2.
$\overline{CS} \parallel \overline{AD}$ com CA transversal; $S\hat{C}A$ é alterno Com $C\hat{A}D$
Daí $S\hat{C}A = C\hat{A}D$.

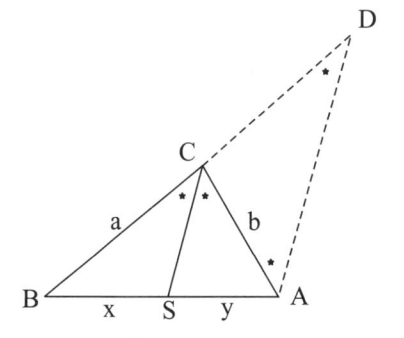

3.
$\overline{CS} \parallel \overline{AD}$ com $\overline{BD}$ transversal; $B\hat{C}S$ é correspondente com $B\hat{D}A$
Daí $B\hat{C}S = B\hat{D}A$.

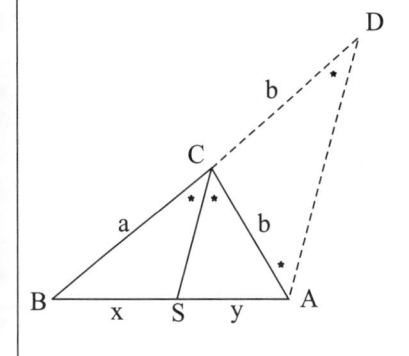

4.
O △ACD é isósceles
Daí CA = CD.

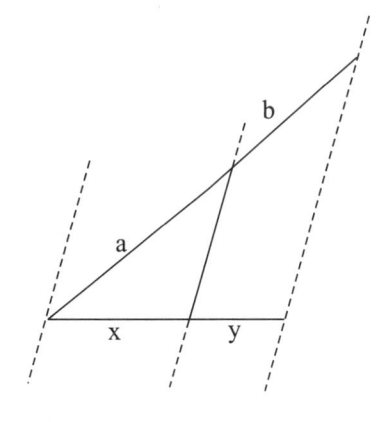

5.
Aplicando o teorema de Tales, tem-se que:
$$\frac{a}{x} = \frac{b}{y}$$

5 – Teorema da Bissetriz Externa

Se a bissetriz de um ângulo externo de um triângulo intercepta a reta que contém o lado oposto, então os segmentos determinados nesta reta são proporcionais aos lados adjacentes ao ângulo.

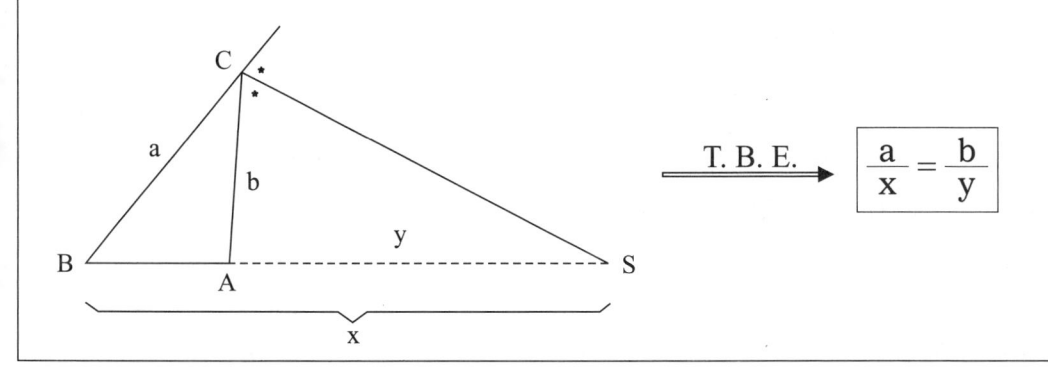

$$\xrightarrow{\text{T. B. E.}} \boxed{\frac{a}{x} = \frac{b}{y}}$$

Demonstração

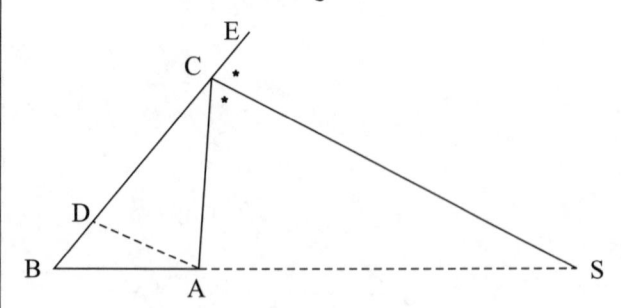

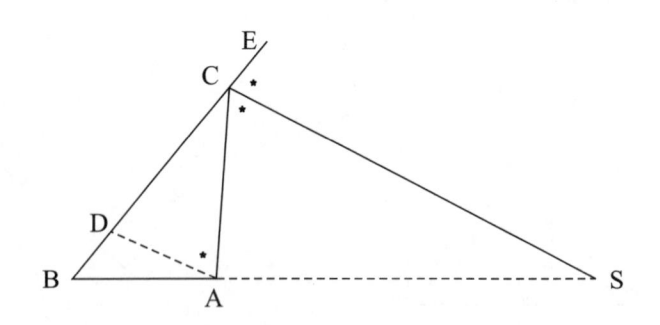

1. Construímos, por A, a paralela à $\overline{CS}$, que intercepta $\overline{BC}$ em D.

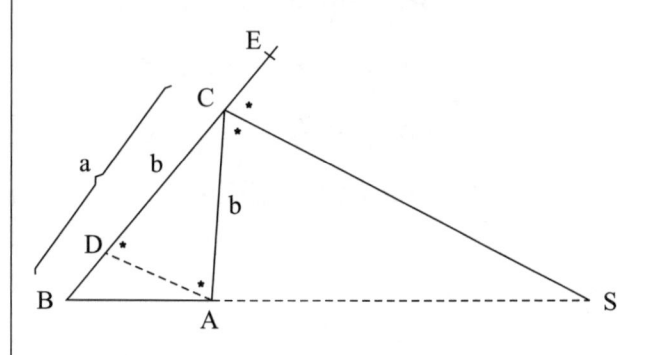

2. $\overline{CS} \parallel \overline{AD}$ com $\overline{AC}$ transversal, $S\hat{C}A$ é alterno com $C\hat{A}D$. Daí $S\hat{C}A = C\hat{A}D$.

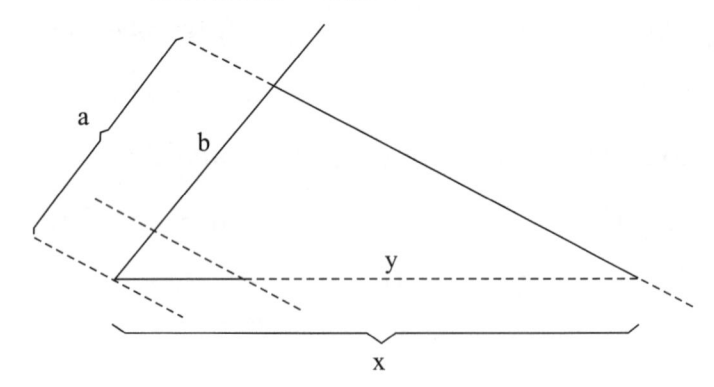

3. $\overline{CS} \parallel \overline{AD}$ com $\overline{BC}$ transversal, $S\hat{C}E$ é correspondente com $A\hat{D}E$. Portanto $S\hat{C}E = A\hat{D}E$. Daí o $\triangle ACD$ é isósceles e $CD = b$.

4. Aplicando o teorema de Tales, tem-se que:
$$\frac{a}{x} = \frac{b}{y}$$

Exemplo 1: Resolva as equações:

a) $2x - 6 = 0$ \qquad b) $x \cdot (x + 5) = 0$ \qquad c) $x^2 = 64$

d) $2x^2 - 72 = 0$ \qquad e) $2x^2 + 12x - 8 = -x^2 + 48x - 8$

Solução:

a) $2x - 6 = 0 \Leftrightarrow 2x = 6 \Leftrightarrow x = \dfrac{6}{2} \Leftrightarrow x = 3$ \hfill **S = {3}**

b) (Lembre-se: $A \cdot B = 0 \Rightarrow A = 0$ ou $B = 0$)

$x(x + 5) = 0 \Rightarrow x = 0$ \qquad ou \qquad $x + 5 = 0$

$\qquad\qquad\qquad\qquad\qquad\qquad\qquad\qquad x = -5$ \hfill **S = {0, –5}**

c) $x^2 = 64 \Leftrightarrow x^2 - 64 = 0 \Leftrightarrow (x + 8)(x - 8) = 0$

Portanto: $\quad x + 8 = 0 \quad$ ou $\quad x - 8 = 0$

$\qquad\qquad\quad x = -8 \qquad\qquad x = 8$ \hfill **S = {–8, 8}**

d) $2x^2 - 72 = 0 \Rightarrow 2(x^2 - 36) = 0 \Rightarrow 2(x + 6)(x - 6) = 0$

Portanto: $\quad x + 6 = 0 \quad$ ou $\quad x - 6 = 0$

$\qquad\qquad\quad x = -6 \qquad\qquad x = 6$ \hfill **S = {–6, 6}**

e) $2x^2 + 12x - 8 = -x^2 + 48x - 8 \Rightarrow 3x^2 - 36x = 0 \Rightarrow 3x(x - 12) = 0$

Portanto, $x = 0$ ou $x - 12 = 0$
$x = 12$ $S = \{0, 12\}$

Exemplo 2: Sendo r // s // t, calcule x.

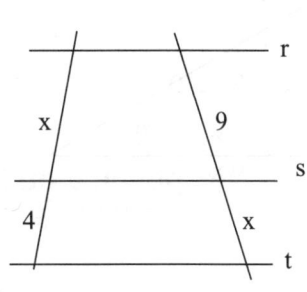

Solução: $\dfrac{x}{4} = \dfrac{9}{x} \Leftrightarrow x^2 = 36 \Leftrightarrow$

$\Leftrightarrow x^2 - 36 = 0 \Leftrightarrow (x + 6)(x - 6) = 0$

$x + 6 = 0 \Rightarrow x = -6$ (não serve)

ou

$x - 6 = 0 \Rightarrow x = 6$

Resposta: 6

Exemplo 3: Sendo r // s // t, calcule x e y.

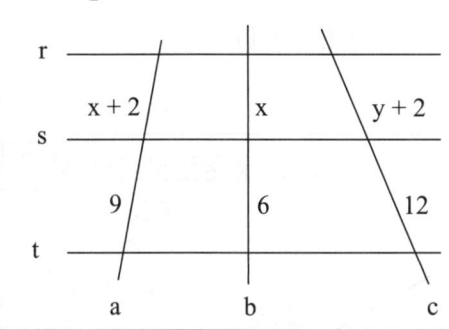

Solução: $\dfrac{x+2}{9} = \dfrac{x}{6} \Leftrightarrow \dfrac{x+2}{3} = \dfrac{x}{2} \Leftrightarrow$

$\Leftrightarrow 3x = 2(x+2) \Leftrightarrow 3x = 2x + 4 \Leftrightarrow \boxed{x = 4}$

$\dfrac{x}{6} = \dfrac{y+2}{12} \Leftrightarrow \dfrac{x}{1} = \dfrac{y+2}{2} \Leftrightarrow \dfrac{4}{1} = \dfrac{y+2}{2} \Leftrightarrow$

$\Leftrightarrow y + 2 = 8 \Leftrightarrow \boxed{y = 6}$

Resposta: x = 4, y = 6

Exemplo 4: Sendo r // s // t, determine x.

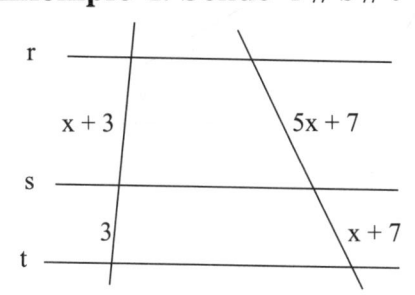

Solução: $\dfrac{x+3}{3} = \dfrac{5x+7}{x+7} \Leftrightarrow (x+3)(x+7) = 3(5x+7)$

$\Leftrightarrow x^2 + 10x + 21 = 15x + 21 \Leftrightarrow x^2 - 5x = 0 \Leftrightarrow$

$\Leftrightarrow x(x - 5) = 0 \Rightarrow x = 0$ ou $x - 5 = 0$

$\boxed{x = 5}$

Resposta: 5

Exemplo 5: Dado que r // s // t, calcule x.
Solução:

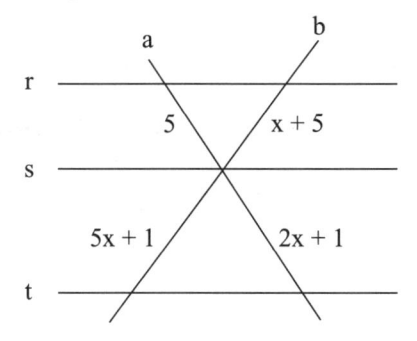

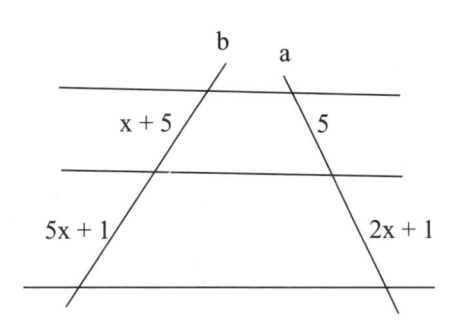

Neste caso é melhor separar as transversais.

$\dfrac{x+5}{5x+1} = \dfrac{5}{2x+1} \Leftrightarrow (2x+1)(x+5) = 5(5x+1) = 5(5x+1) \Leftrightarrow 2x^2 + 11x + 5 = 25x + 5$

$\Leftrightarrow 2x^2 - 14x = 0 \Leftrightarrow 2x(x - 7) = 0 \Rightarrow x = 0$ ou $x - 7 = 0$

$\therefore x = 7$

Resposta: 7

Exemplo 6: Calcule x, sabendo que r // s // t.

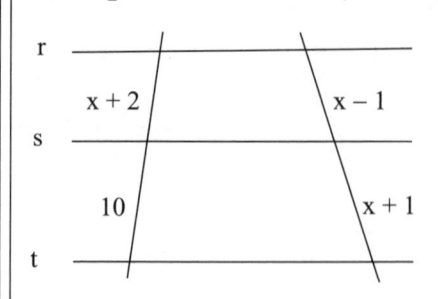

Solução:

$$\frac{x+2}{10} = \frac{x-1}{x+1} \Leftrightarrow (x+2)(x+1) = 10(x-1)$$

$$\Leftrightarrow x^2 + 3x + 2 = 10x - 10 \Leftrightarrow x^2 - 7x + 12 = 0$$

$$\Leftrightarrow (x-4)(x-3) = 0$$

Portanto x - 4 = 0   ou   x - 3 = 0
             x = 4   x = 3

Resposta: 4 ou 3

Exemplo 7: Calcule x, sendo r // s // t.

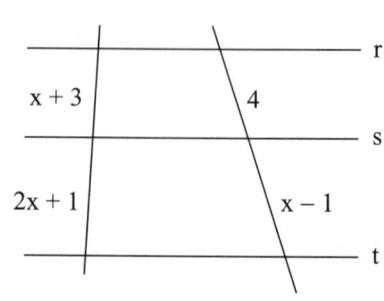

Solução:

$$\frac{x+3}{2x+1} = \frac{4}{x-1} \Leftrightarrow (x+3)(x-1) = 4(2x+1) \Leftrightarrow$$

$$\Leftrightarrow x^2 - 6x - 7 = 0 \Leftrightarrow (x-7)(x+1) = 0$$

Portanto x - 7 = 0   ou   x + 1 = 0
             x = 7   x = -1

Resposta: 7

Exemplo 8: O perímetro do triângulo ABC é 40 cm e $\overline{AS}$ é bissetriz interna. Calcule AB.

Solução:

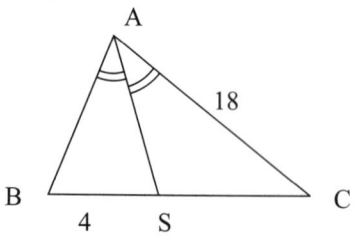

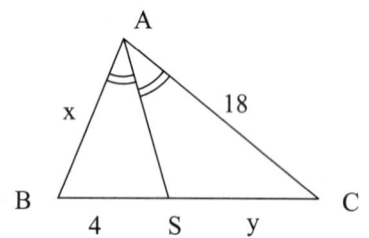

Perímetro do $\triangle ABC = 40 \Rightarrow x + 4 + y + 18 = 40$
Teorema da Bissetriz Interna $\Rightarrow \dfrac{x}{4} = \dfrac{18}{y}$

$\Rightarrow \begin{array}{l} x + y = 18 \text{ ①} \\ y = \dfrac{72}{x} \text{ ②} \end{array}$

Substituindo ② em ① $x + \dfrac{72}{x} = 18 \Leftrightarrow x^2 - 18x + 72 = 0 \Rightarrow$

$\Leftrightarrow (x-6)(x-12) = 0$

Portanto   x - 6 = 0   ou   x - 12 = 0
               x = 6   x = 12

Resposta: 6 cm ou 12 cm

Exemplo 9: Sendo 13 cm o perímetro do triângulo ABC e 18 cm o do $\triangle PQR$, calcule AB e PQ nos itens abaixo.

a.

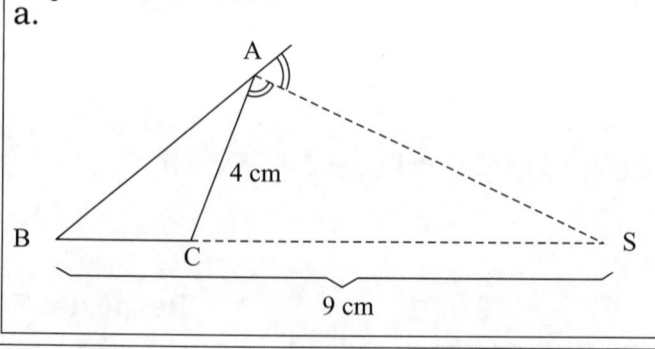

b.

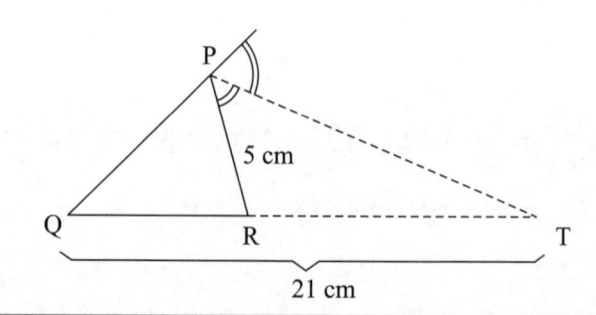

Solução:

a.

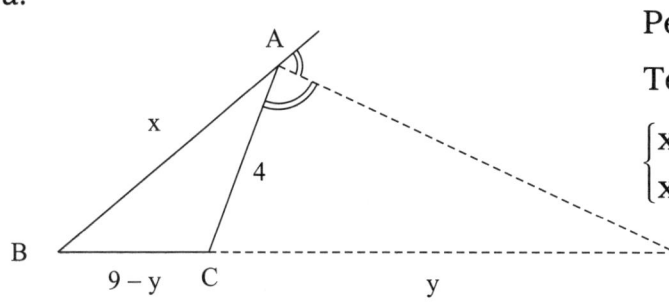

Perímetro do $\triangle ABC = 13 \Rightarrow x + 9 - y + 4 = 13$

Teorema da Bissetriz Interna $\Rightarrow \dfrac{x}{9} = \dfrac{4}{y}$

$\begin{cases} x = y & \text{①} \\ xy = 36 & \text{②} \end{cases}$

Substituindo ① em ② : $x \cdot x = 36 \Leftrightarrow x = -6 \quad$ ou $\quad x = 6$

Resposta: 6 cm

b.

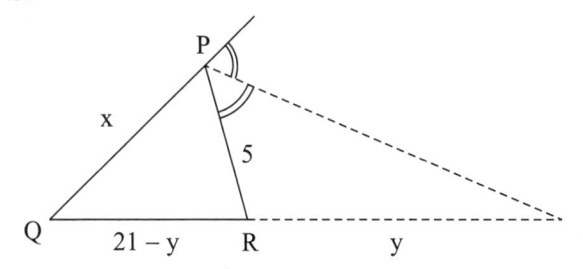

Perímetro do $\triangle ABC = 18 \Rightarrow x + 21 - y + 5 = 18$

$\overline{PT}$ é bissetriz externa $\Rightarrow \dfrac{x}{21} = \dfrac{5}{y}$

$\begin{cases} x - y = -8 & \text{①} \\ y = \dfrac{105}{x} & \text{②} \end{cases}$

Substituindo ② em ① : $x - \dfrac{105}{x} = -8 \Leftrightarrow x^2 + 8x - 105 = 0 \Leftrightarrow$

$\Leftrightarrow (x + 15)(x - 7) = 0 \Leftrightarrow x + 15 = 0 \quad$ ou $\quad x - 7 = 0$
$\qquad\qquad\qquad\qquad\qquad\qquad x = -15 \qquad\qquad\quad x = 7$

Resposta: 7 cm

Exemplo 10: Do triângulo ABC abaixo sabe-se que $\overline{AS}$ é bissetriz interna e AT é bissetriz externa. Calcule CT.

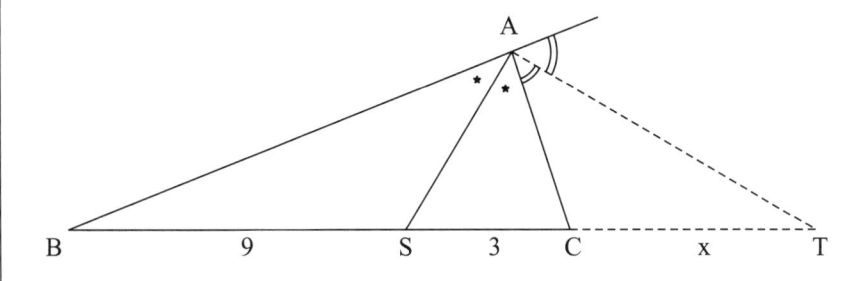

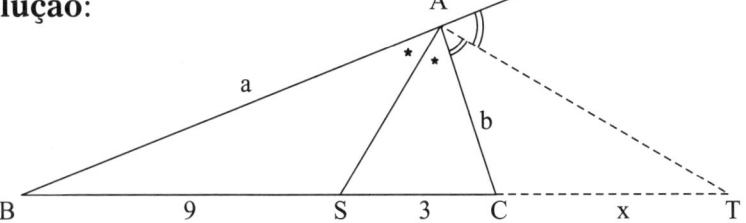

Solução:

AS é bissetriz interna $\Rightarrow \dfrac{a}{9} = \dfrac{b}{3} \Rightarrow \dfrac{a}{b} = \dfrac{9}{3}$

AT é bissetriz externa $\Rightarrow \dfrac{a}{12 + x} = \dfrac{b}{x} \Rightarrow \dfrac{a}{b} = \dfrac{12 + x}{x}$

$\Rightarrow \dfrac{12 + x}{x} = \dfrac{9}{3} \Leftrightarrow \dfrac{12 + x}{x} = \dfrac{3}{1} \Leftrightarrow 3x = 12 + x \Leftrightarrow x = 6$

Resposta: 6

135 Desenvolva os produtos abaixo.

a) $(x + 4)(x + 2) = x^2 + 2x + 4x + 8 = x^2 + 6x + 8$

b) $(x + 6)(x + 3) =$

c) $(x + 5)(x - 2) =$

d) $(x + 7)(x - 3) =$

e) $(x - 4)(x + 2) =$

f) $(x - 8)(x - 6) =$

g) $(x + 7)(x - 9) =$

136 Dê as respostas dos produtos abaixo, sem aplicar a propriedade distributiva.

a) $(x + 8)(x + 2) =$

b) $(x - 6)(x + 4) =$

c) $(x - 5)(x + 3) =$

d) $(x - 12)(x + 10) =$

e) $(x - 8)(x - 3) =$

f) $(x + 9)(x - 1) =$

g) $(x + 9)(x - 8) =$

137 Fatore as expressões abaixo.

a) $x^2 - 7x + 12 = (x - 3)(x - 4)$

b) $x^2 + 2x - 8 =$

c) $x^2 - 2x - 15 =$

d) $x^2 - 2x - 24 =$

e) $x^2 + 10x - 24 =$

f) $x^2 + 7x - 30 =$

g) $x^2 - 9x + 18 =$

h) $x^2 - 25x + 144 =$

i) $x^2 - 10x - 144 =$

j) $x^2 + 5x + 6 =$

l) $x^2 - x - 6 =$

m) $x^2 - x - 72 =$

138. Em cada caso abaixo tem-se um feixe de paralelas interceptado por transversais. Calcule os valores das incógnitas.

a)
$\dfrac{x}{9} = \dfrac{8}{12}$

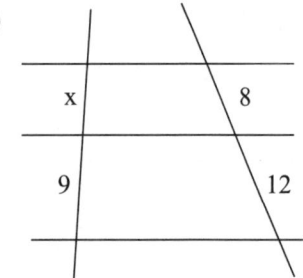

b)
$\dfrac{4}{x} = \dfrac{6}{15}$

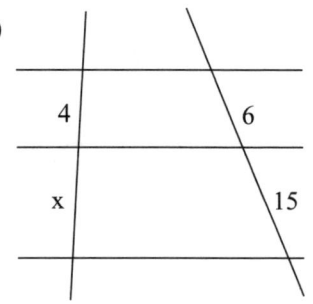

c)
$\dfrac{x-1}{10} = \dfrac{x}{12}$

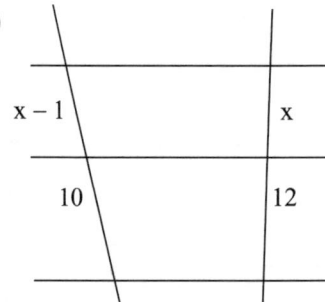

d)
$\dfrac{3}{x} = \dfrac{7}{9}$

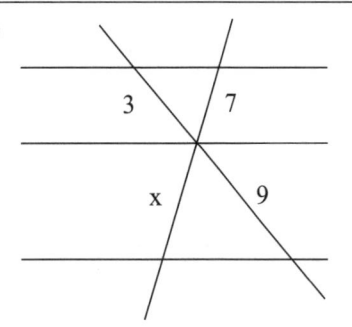

e)
$\dfrac{x}{x+3} = \dfrac{x+2}{x+6}$

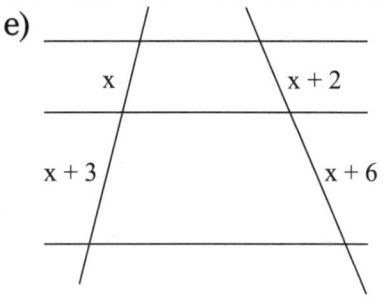

f)
$\dfrac{2x+12}{3} = \dfrac{3x}{5}$

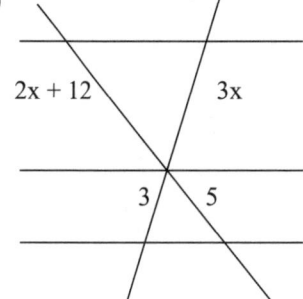

g)
$\dfrac{x}{4} = \dfrac{x}{6}$ (com medidas x, 4, 6, x)

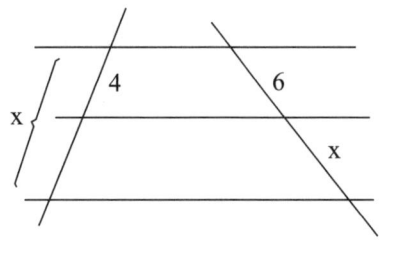

h)
2, 3, x / y, x, 3y

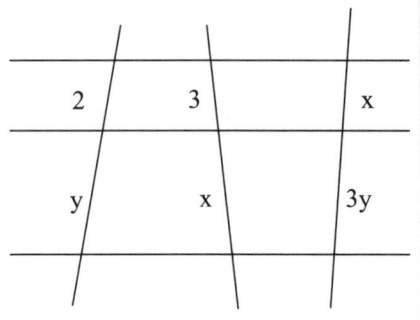

i)
4, x, x+2 / 10, y, 3x+2

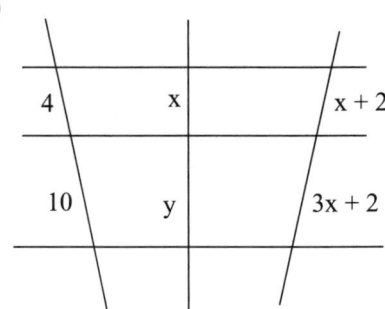

139 Calcule o valor de x nos casos abaixo, dado que r, s e t são paralelas entre si.

a)
$$\frac{x+1}{x+5} = \frac{x}{x+3}$$

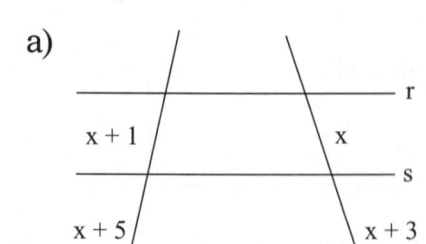

b)
$$\frac{x}{x+4} = \frac{x-2}{x}$$

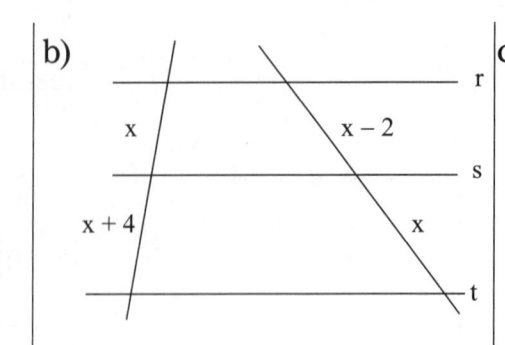

c)
$$\frac{x}{12} = \frac{3}{x}$$

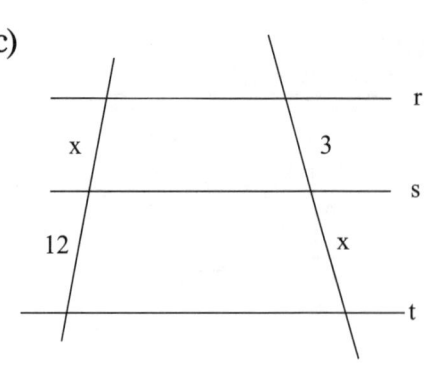

d)
$$\frac{4}{2x} = \frac{x}{8}$$

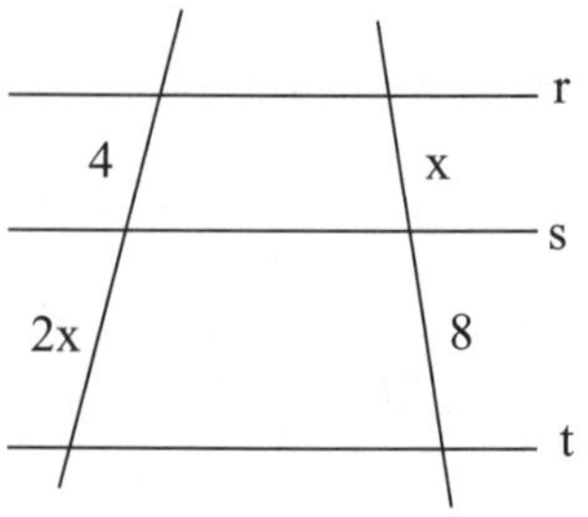

e)
$$\frac{x}{2} = \frac{4-x}{2x-2}$$

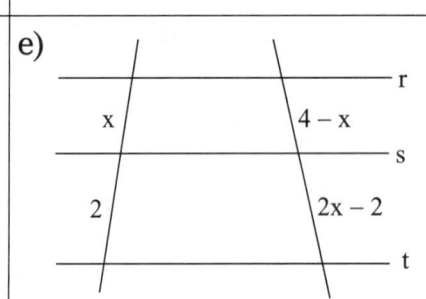

f)
$$\frac{x}{15} = \frac{x-4}{x-1}$$

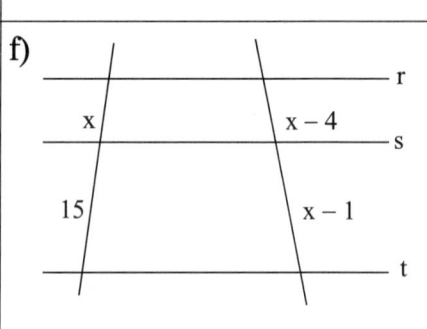

g)
$$\frac{1}{x} = \frac{x}{12}$$

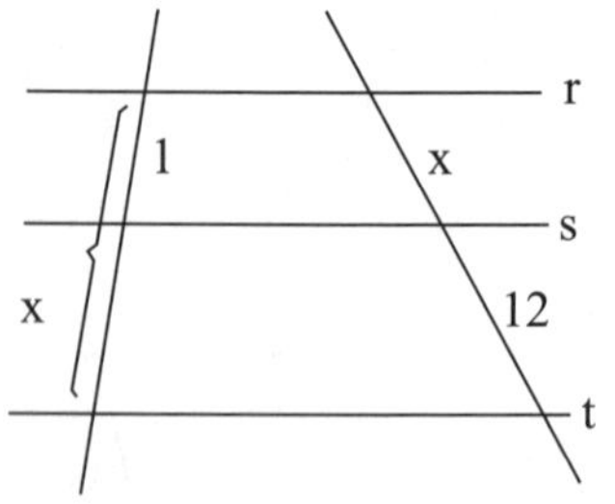

h)
$$\frac{x-11}{x-8} = \frac{x-8}{x}$$

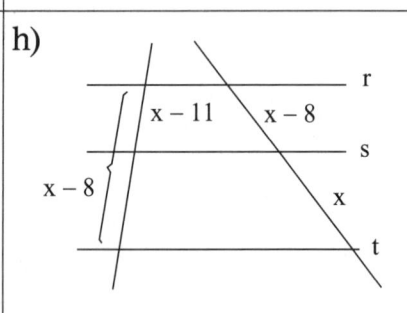

i)
$$\frac{x+3}{x+15} = \frac{x+1}{8}$$

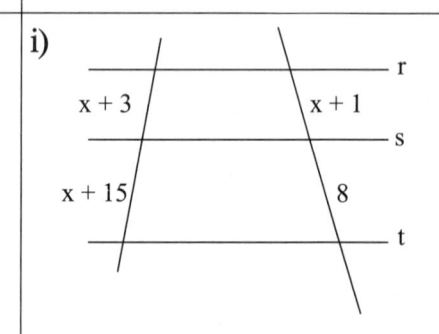

140 As figuras, abaixo mostram feixes de paralelas. Determine o valor das incógnitas.

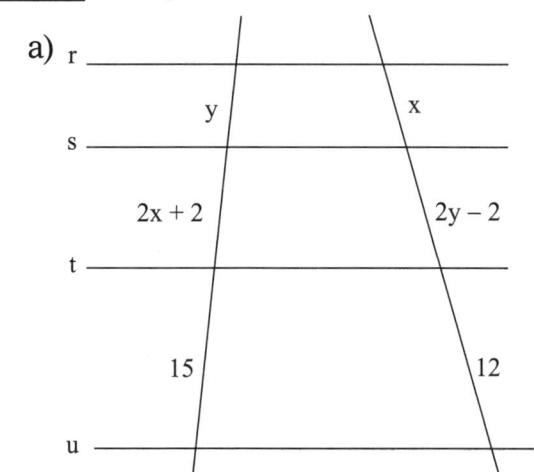

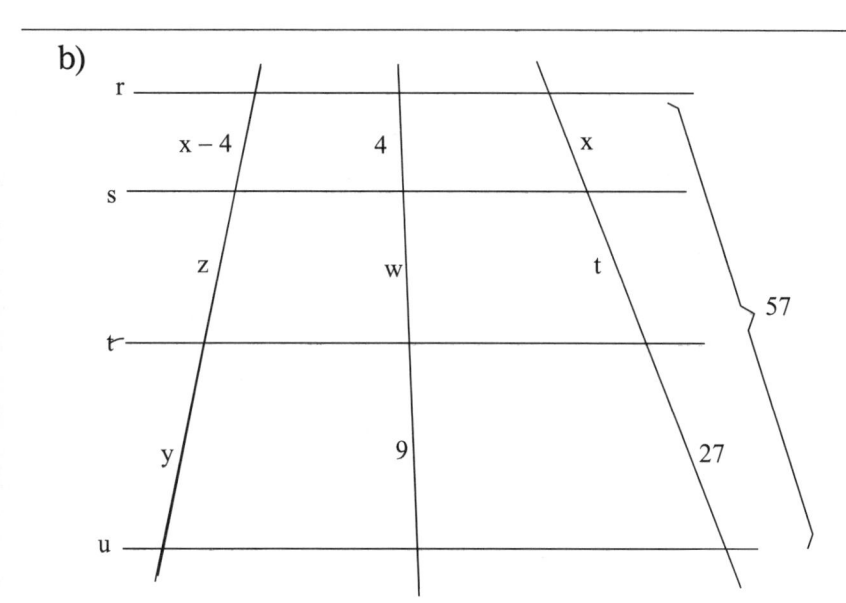

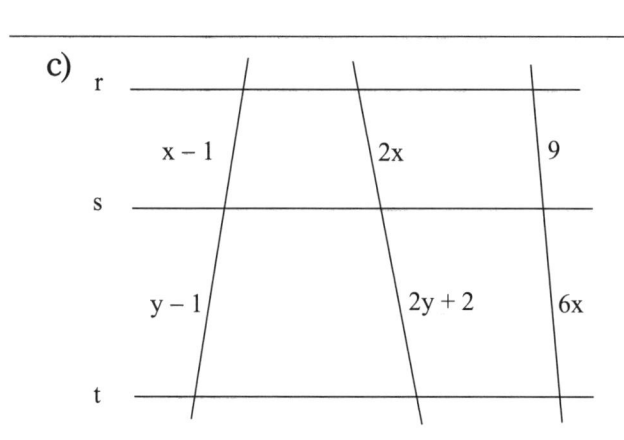

a)
r, s, t, u paralelas. Segmentos: y, 2x+2, 15 em uma transversal; x, 2y-2, 12 na outra.

b)
r, s, t, u paralelas. Transversais com segmentos: (x-4, z, y), (4, w, 9), (x, t, 27); chave {} = 57.

c)
r, s, t paralelas. Segmentos: (x-1, y-1), (2x, 2y+2), (9, 6x).

Resp: **135** b) $x^2 + 9x + 18$ c) $x^2 + 3x - 10$ d) $x^2 + 4x - 21$ e) $x^2 - 2x - 8$ f) $x^2 - 14x + 48$ g) $x^2 - 2x - 63$

136 a) $x^2 + 10x + 16$ b) $x^2 - 2x - 24$ c) $x^2 - 2x - 15$ d) $x^2 - 2x - 120$ e) $x^2 - 11x + 24$ f) $x^2 + 8x - 9$

g) $x^2 + x - 72$ **137** b) $(x + 4)(x - 2)$ c) $(x - 5)(x + 3)$ d) $(x - 6)(x + 4)$ e) $(x + 12)(x - 2)$

f) $(x + 10)(x - 3)$ g) $(x - 6)(x - 3)$ h) $(x - 16)(x - 9)$ i) $(x - 18)(x + 8)$ j) $(x + 2)(x + 3)$

l) $(x - 3)(x + 2)$ m) $(x - 9)(x + 8)$ **138** a) 6   b) 10   c) 6   d) 21   e) 6   f) 4   g) 12

h) $x = 6$, $y = 4$ i) $x = 6$, $y = 15$

141 Nos triângulos abaixo, $\overline{AS}$ é bissetriz do ângulo BÂC. Calcule o valor das incógnitas.

a)
$\dfrac{3x+1}{x+2} = \dfrac{14}{7}$

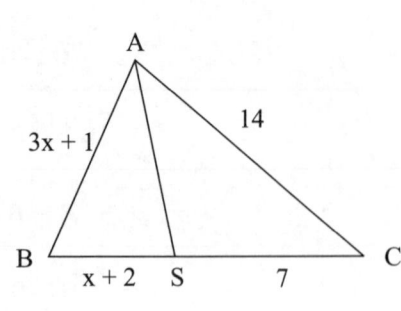

b)
$\dfrac{6}{3} = \dfrac{x - \text{...}}{4}$ (AB=6, BS=3, SC=4, AC=x)

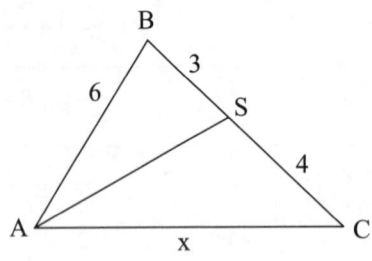

c) (BS=4, SC=6, AB=x, AC=x+3)

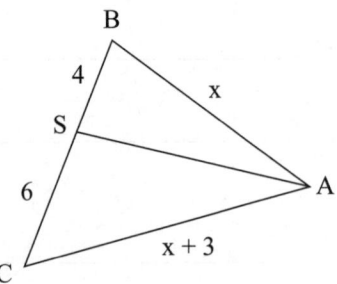

d) (AB=x, BS=1, SC=2, AC=3)

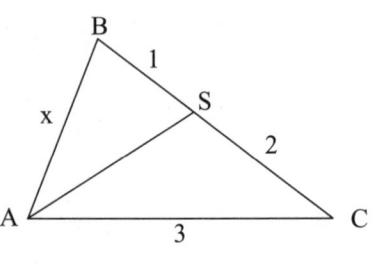

e) (AC=x+1, AB=x+4, CS=x, SB=2x)

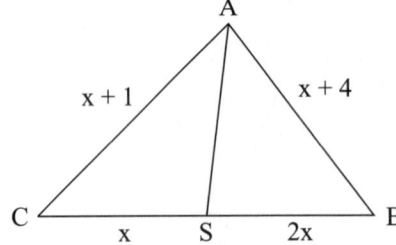

f) (CS=x−11, SB=x−10, AC=x−5, AB=x−2)

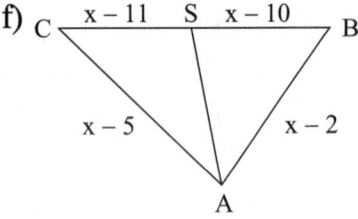

g) (AB=15, AC=18, BS=x, SC=y, BC=22)

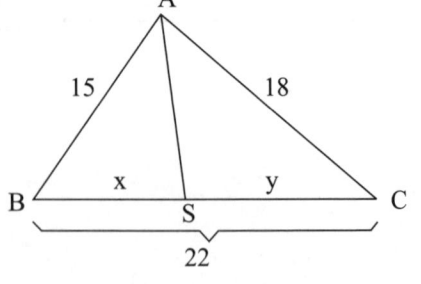

h) Dado: perímetro do △ABC = 63
(AB=x, AC=y, BS=8, SC=10)

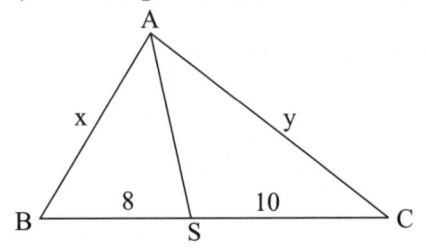

142 Calcule x nos casos abaixo, onde marcas iguais indicam ângulos de mesma medida.

a)

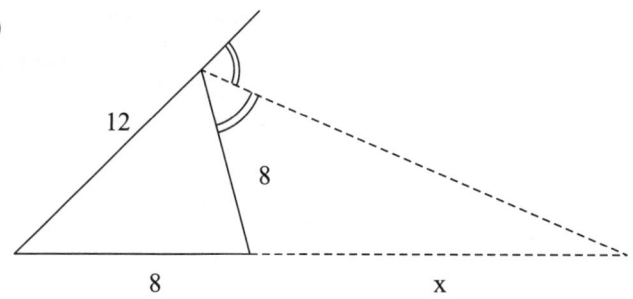

b)

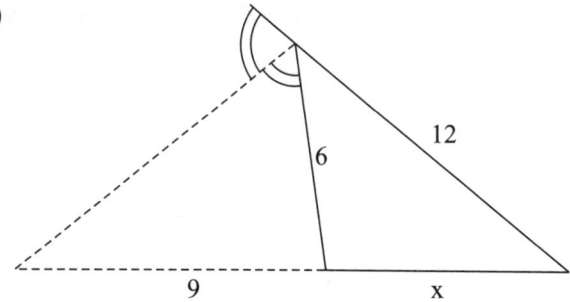

c)

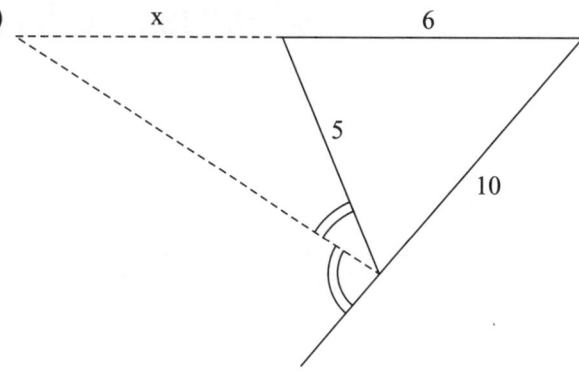

d)

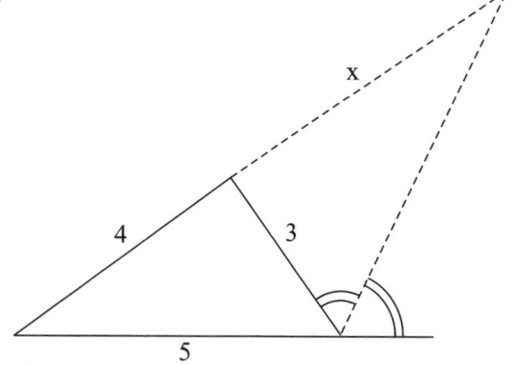

Resp: **139** a) 3   b) 4   c) 6   d) 4   e) 2   f) 10 ou 6   g) 4   h) 12   i) 1

140 a) x = 4, y = 5   b) x = 12, y = 18, z = 12, w = 6, t = 18   c) x = 3, y = 5

e) Dado: perímetro do △ABC = 21 cm.

f)

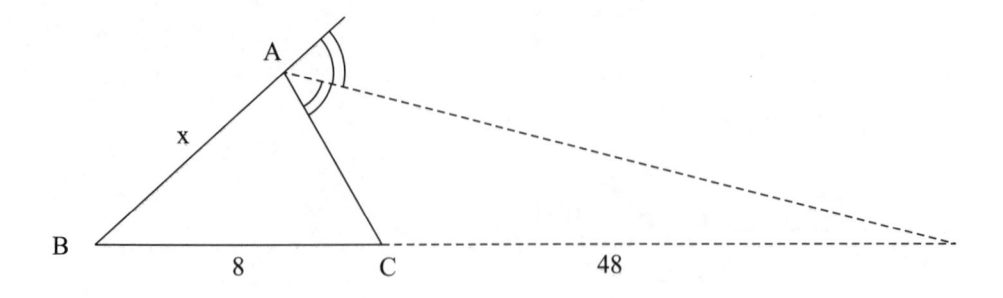

Resp: **141** a) 3   b) 8   c) 6   d) $\frac{3}{2}$ e) 2   f) 14   g) x = 10, y = 12   h) x = 20, y = 25

142 a) 16   b) 9   c) 6   d) 6   e) 7   f) 24

V. SEMELHANÇA DE TRIÂNGULOS

1– Definição:

Dois triângulos são semelhantes se os ângulos de um têm medidas iguais aos ângulos do outro e se os lados correspondentes são proporcionais.

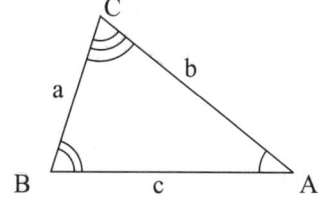

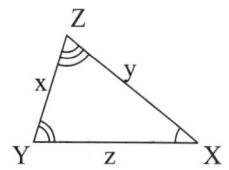

Se o $\triangle ABC$ é semelhante ao $\triangle XYZ$ (indica-se $\triangle ABC \sim \triangle XYZ$), então $\hat{A} = \hat{X}, \hat{B} = \hat{Y}, \hat{C} = \hat{Z}$ e

$$\frac{a}{x} = \frac{b}{y} = \frac{c}{z} = k$$

Observação: 1) A constante **k** é chamada de **razão de semelhança**.

2) Os pares de lados **a** e **x**, **b** e **y**, **c** e **z** são ditos **correspondentes** ou **homólogos**.

3) Se a razão de semelhança entre dois triângulos é **k**, então a razão entre seus perímetros também é **k**.

De fato, sejam os triângulos ABC e XYZ semelhantes como acima. Tem-se:

$$\left.\begin{array}{l}\frac{a}{x} = k \Rightarrow a = kx \\ \frac{b}{y} = k \Rightarrow b = ky \\ \frac{c}{z} = k \Rightarrow c = kz\end{array}\right\} \Rightarrow \frac{a+b+c}{x+y+z} = \frac{kx+hy+kz}{x+y+z} = \frac{k(x+y+z)}{x+y+z} = k$$

4) Pode-se provar que, se dois triângulos são semelhantes, então a razão entre quaisquer linhas homólogas (lados, alturas, medianas, bissetrizes) ou soma de linhas homólogas é sempre igual a razão de semelhança.

2 – Teorema Fundamental

Qualquer reta paralela a um lado de um triângulo, que intercepta os outros dois (não em um vértice) determina um triângulo semelhante ao original.

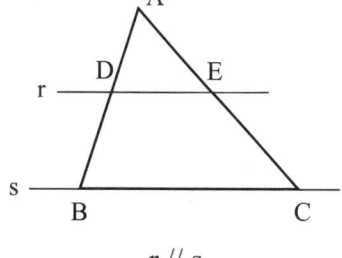

$$\Longrightarrow \quad \triangle ADE \sim \triangle ABC$$

$r // s$

Demonstração:

$\hat{A}$ é comum

$A\hat{D}E = A\hat{B}C$ (correspondentes)

$A\hat{E}D = A\hat{C}B$ (correspondentes)

$\frac{a}{x} = \frac{b}{y}$ (Teorema de Tales)

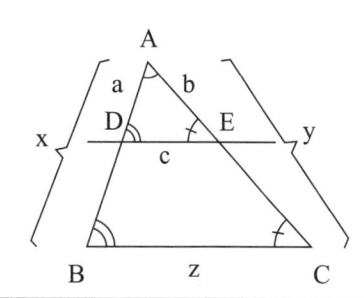

Seja $\overline{EF} \parallel \overline{AB}$. Como $\overline{DE} \parallel \overline{BC}$, tem-se que DEFB é paralelogramo e, portanto, BF = DE = c.

Pelo teorema de Tales, tem-se $\dfrac{b}{y} = \dfrac{c}{z}$.

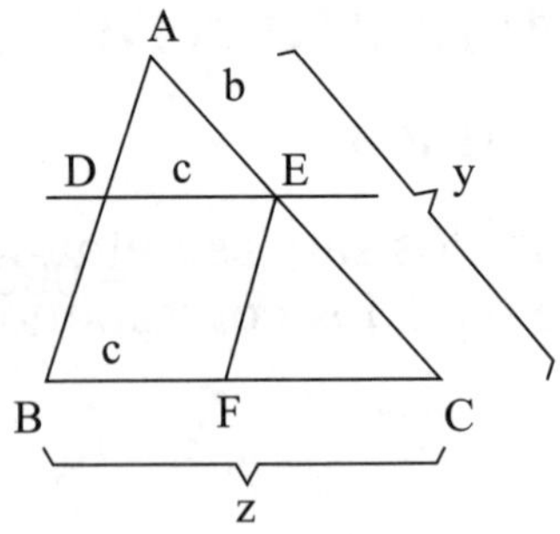

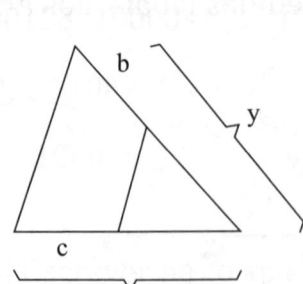

Portanto, $\dfrac{a}{x} = \dfrac{b}{y} = \dfrac{c}{z}$

Comos os ângulos homólogos são congruentes, tem-se $\triangle ADE \sim \triangle ABC$.

3 – Critérios de Semelhança

1) Ângulo - ângulo

Se dois ângulos de um triângulo são iguais a dois ângulos de outro triângulo, então esses triângulos são semelhantes.

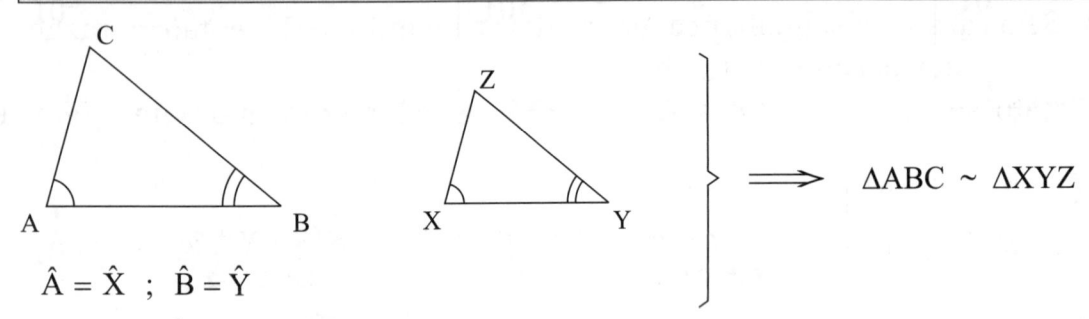

$\hat{A} = \hat{X}$; $\hat{B} = \hat{Y}$ $\implies$ $\triangle ABC \sim \triangle XYZ$

2) Lado - Ângulo - Lado

Se dois lados de um triângulo são proporcionais a dois lados de outro triângulo, e os ângulos formados por esses lados são congruentes, então esses triângulos são semelhantes.

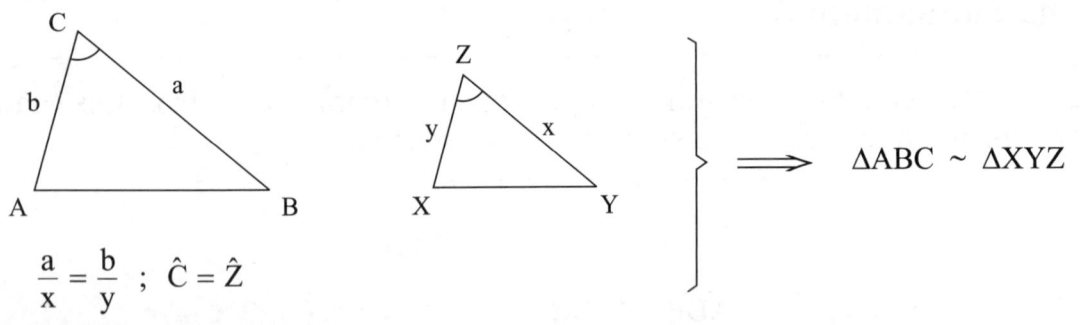

$\dfrac{a}{x} = \dfrac{b}{y}$; $\hat{C} = \hat{Z}$ $\implies$ $\triangle ABC \sim \triangle XYZ$

3) Lado - Lado - Lado

Se três lados de um triângulo são proporcionais a três lados de outro triângulo, então esses triângulos são semelhantes.

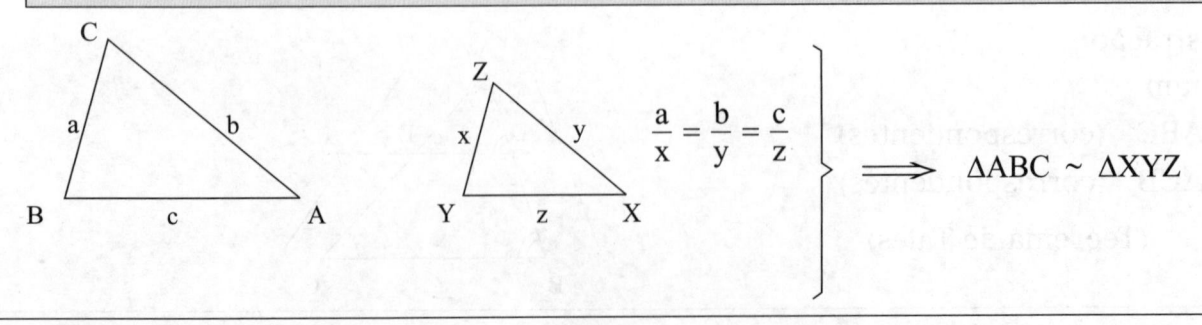

$\dfrac{a}{x} = \dfrac{b}{y} = \dfrac{c}{z}$ $\implies$ $\triangle ABC \sim \triangle XYZ$

Exemplo 11: Calcule a área do triângulo ABC, dado que $\overline{DE} \parallel \overline{BC}$.

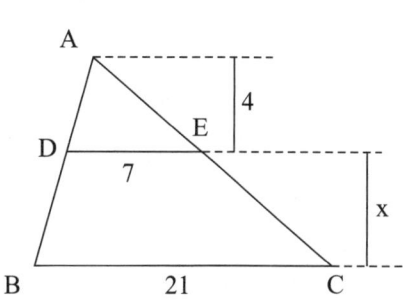

Solução: $\overline{DE} \parallel \overline{BC} \Rightarrow \triangle ADE \sim \triangle ABC$

Portanto: $\dfrac{4}{4+x} = \dfrac{7}{21} \Rightarrow x = 8$

$A_{\triangle ABC} = \dfrac{21(x+4)}{2} = \dfrac{21 \cdot (8+4)}{2} = 126 = 126$

Resposta: 126

Exemplo 12: Na figura abaixo, ângulos com marcas iguais são congruentes. Determine x e y.

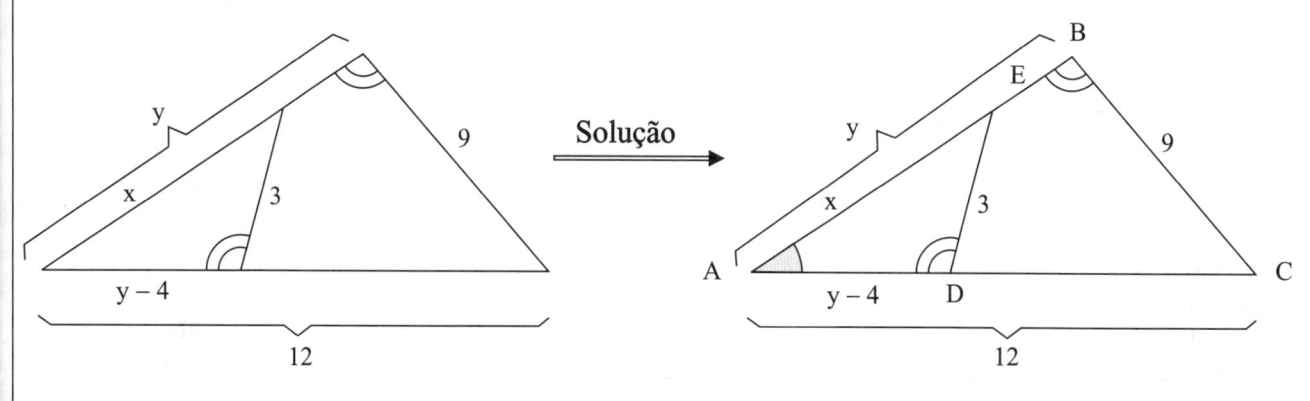

$\left. \begin{array}{l} A\hat{B}C = A\hat{D}E \\ \hat{A} \text{ é comum} \end{array} \right\} \Rightarrow \triangle ABC \sim \triangle ADE$

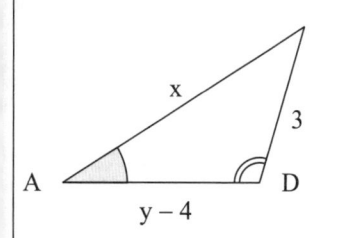

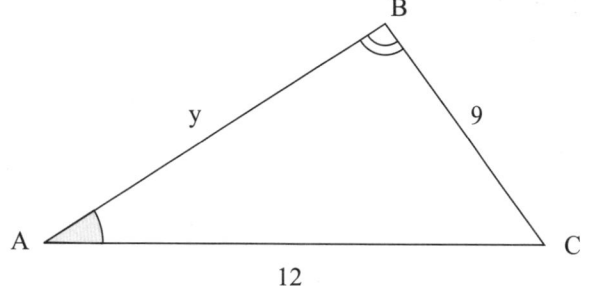

$\dfrac{x}{12} = \dfrac{3}{9} = \dfrac{y-4}{y} \Rightarrow \dfrac{x}{12} = \dfrac{3}{9} \Rightarrow \boxed{x = 4}$

$\dfrac{y-4}{y} = \dfrac{3}{9} \Rightarrow \boxed{y = 6}$

Resposta: x = 4 , y = 6

Exemplo 13: O quadrilátero abaixo é um trapézio. Calcule o valor de x.

Solução:

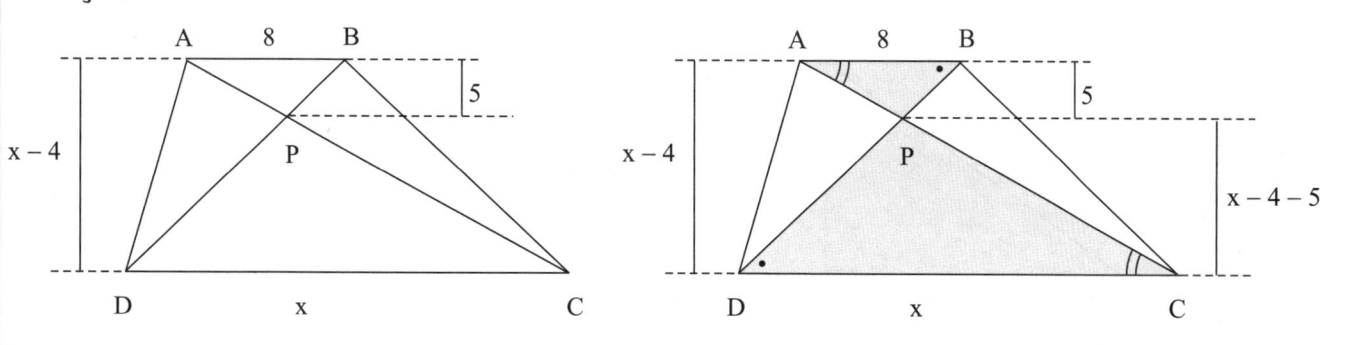

107

$$\left.\begin{array}{l}\text{B}\hat{\text{A}}\text{C}=\text{A}\hat{\text{C}}\text{D}\ (\text{alternos})\\ \text{A}\hat{\text{B}}\text{D}=\text{B}\hat{\text{D}}\text{C}\ (\text{alternos})\end{array}\right\} \Rightarrow \triangle\text{PAB} \sim \triangle\text{PCD} \Rightarrow \frac{x}{8}=\frac{x-4-5}{5} \Rightarrow \boxed{x=24}$$

Resposta: 24

Exemplo 14: Determine o raio da circunferência, dado que AB = AC.

Solução:

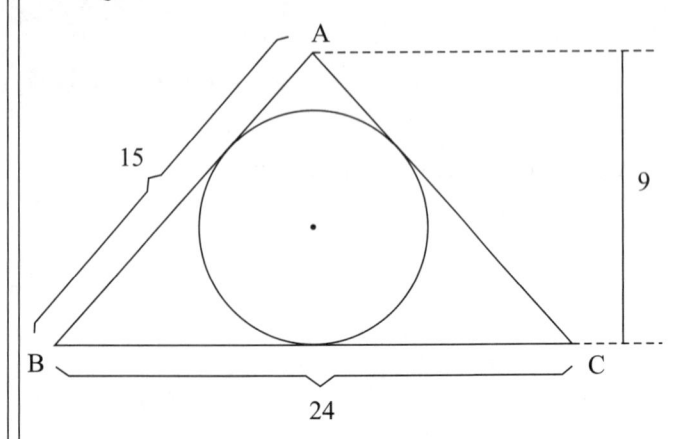

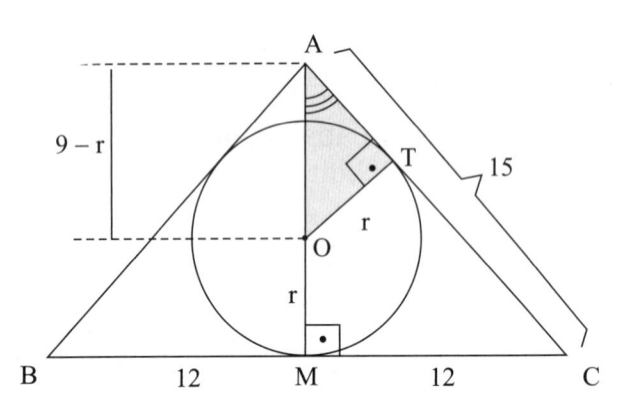

$$\left.\begin{array}{l}\text{A}\hat{\text{T}}\text{O}=\text{A}\hat{\text{M}}\text{C}\ (90°)\\ \text{M}\hat{\text{A}}\text{C}\ \text{comum}\end{array}\right\} \Rightarrow \triangle\text{ATO} \sim \triangle\text{AMC} \Rightarrow \frac{9-r}{18}=\frac{r}{12} \Rightarrow \boxed{r=4}$$

Resposta: 4

Exemplo 15: A figura mostra um quadrado de lado 2 cm inscrito num triângulo ABC. Calcule a área do triângulo ADE.

Solução:

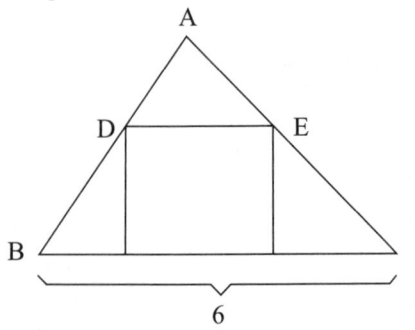

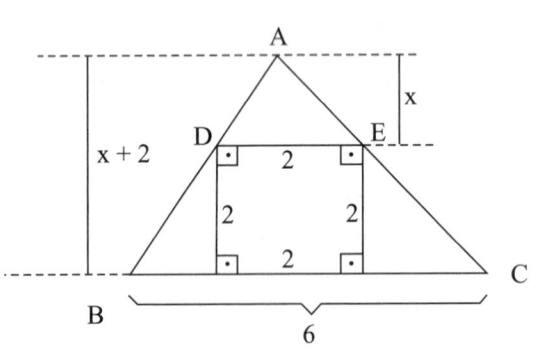

$\overline{\text{DE}} \parallel \overline{\text{BC}} \Rightarrow \triangle\text{ADE} \sim \triangle\text{ABC} \Rightarrow \dfrac{x}{x+2}=\dfrac{2}{6} \Rightarrow x=1$

$A_{\triangle ADE}=\dfrac{2x}{2} \Rightarrow A_{\triangle ADE}=x \Rightarrow A_{\triangle ADE}=1\ \text{cm}^2$

Resposta: 1 cm²

Exemplo 16: Calcule x e y na figura abaixo.

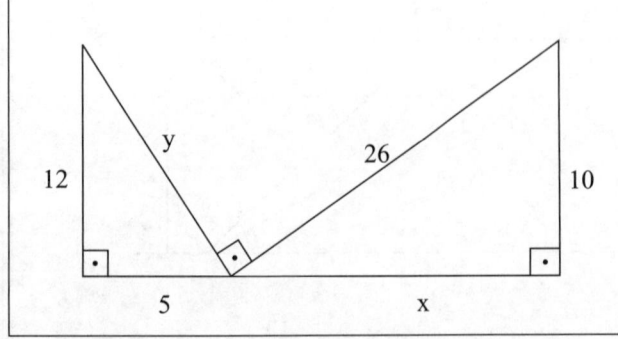

Solução:

1) No vértice C: $a + b + 90° = 180°$
$$a + b = 90°$$
2) No $\triangle ABC$: $\hat{B} + 90° + b = 180°$
$$\hat{B} + b = 90°$$
1) e 2) $\Rightarrow \hat{B} = a$

Portanto,

$\triangle ABC \sim \triangle DCE$ $\dfrac{5}{10} = \dfrac{12}{x} = \dfrac{y}{26} \Rightarrow \begin{array}{l} x = 24 \\ y = 13 \end{array}$

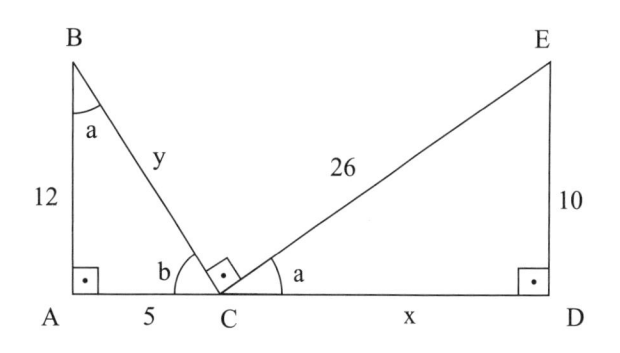

Resposta: x = 24 , y = 13

Exemplo 17: Calcule x na figura abaixo.

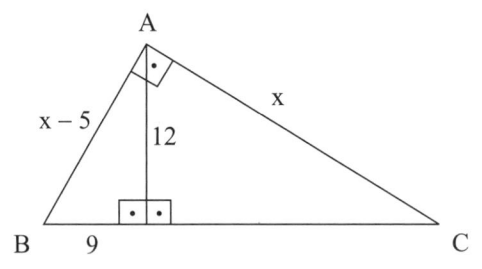

Solução:

1) No $\triangle ABC$: $a + b + 90° = 180°$
$$a + b = 90°$$
2) No $\triangle ABH$: $B\hat{A}H + a + 90° = 180°$
$$B\hat{A}H + a = 90°$$
1) e 2) $\Rightarrow$ $B\hat{A}H = b$ $\Rightarrow$ $\triangle ABH \sim \triangle ABC$ $\Rightarrow$

$\dfrac{9}{x-5} = \dfrac{12}{x} \Leftrightarrow \dfrac{3}{x-5} = \dfrac{4}{x} \Leftrightarrow 4(x-5) = 3x \Leftrightarrow$

$\Leftrightarrow 4x - 20 = 3x \Leftrightarrow \boxed{x = 20}$

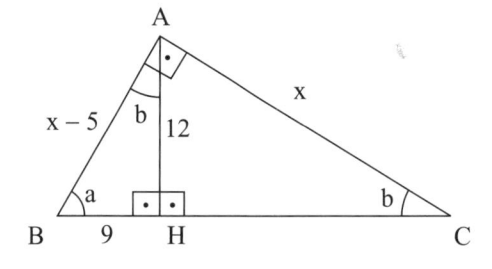

Resposta: 20

109

143 Nas figuras abaixo, $\overline{DE}$ é paralelo a $\overline{BC}$. Determine as incógnitas.

a) b)

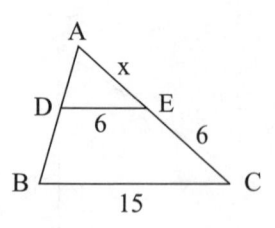

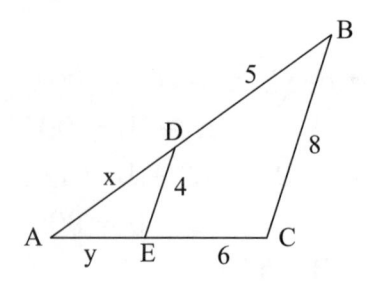

c) 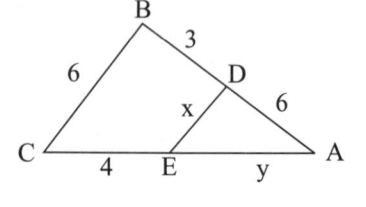 d)

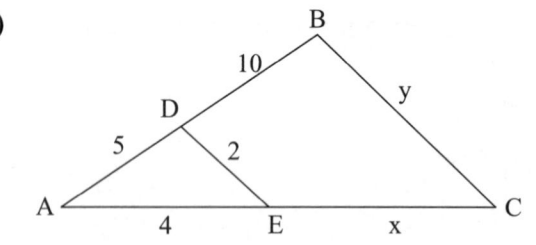

e) 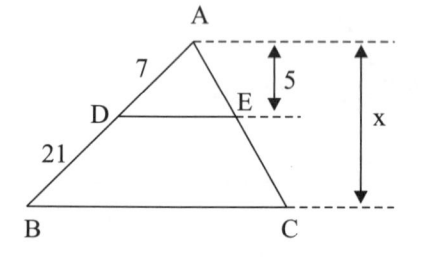 f)

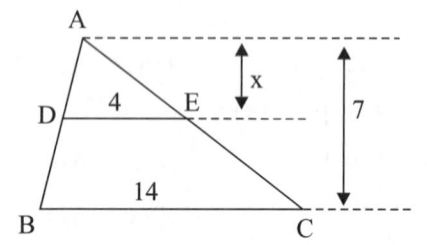

g) 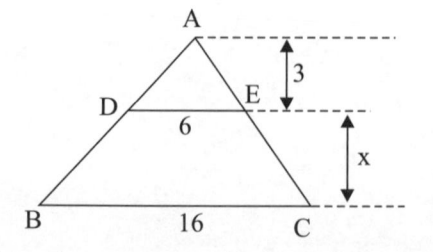 h)

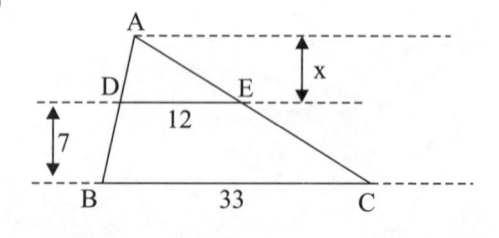

144 Determine as incógnitas nas figuras abaixo:

a)

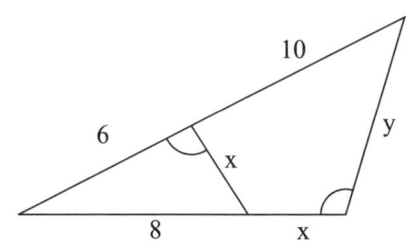

b)

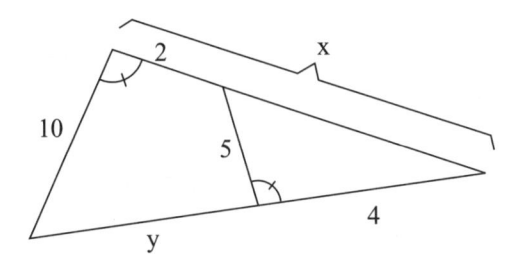

c)

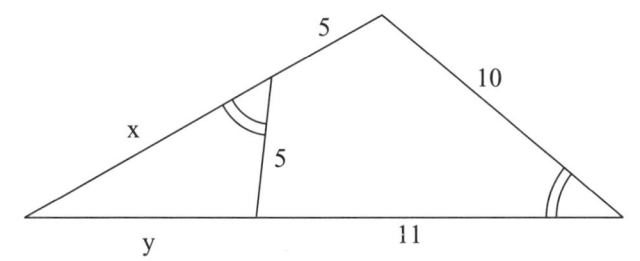

d)

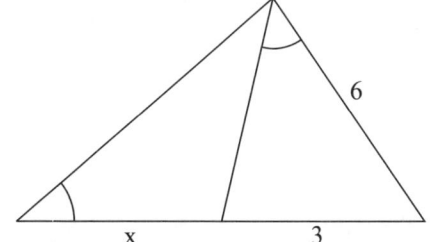

e)

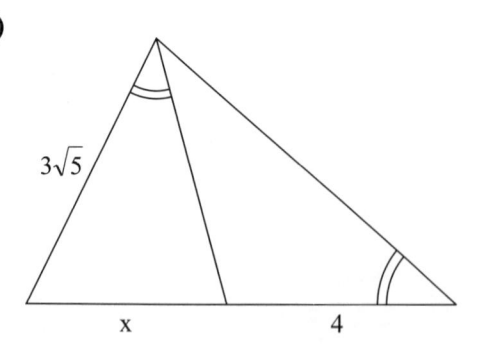

145 Calcule x nos trapézios abaixo:

a)

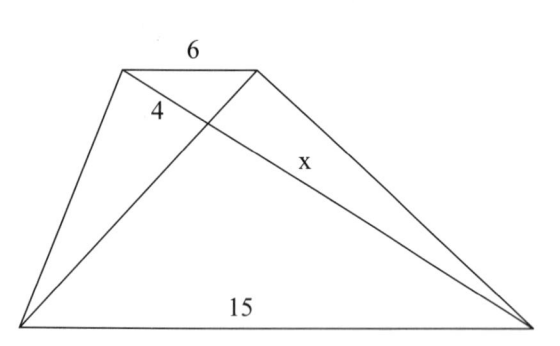

b)

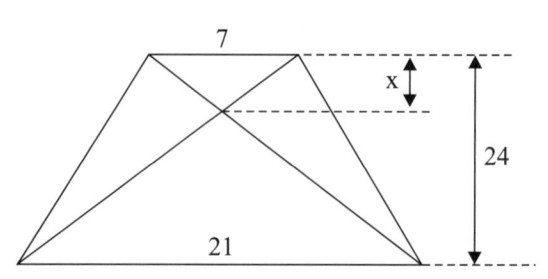

146 Calcule x nos paralelogramos ABCD abaixo:

a)

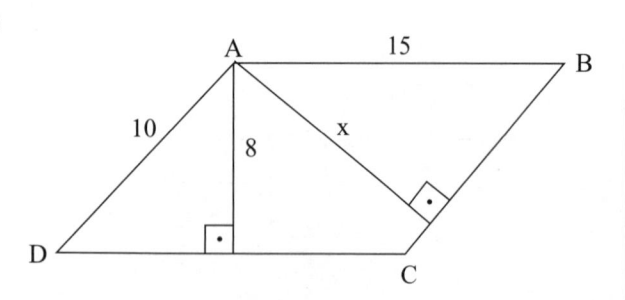

b)

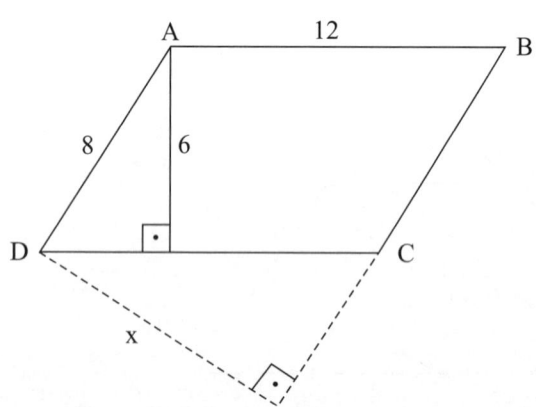

112

147 Determine os valores de x e y.

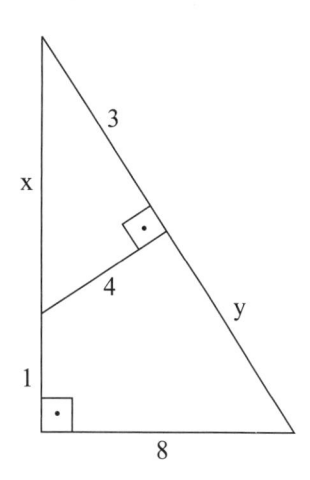

148 Calcule a altura relativa à base BC do triângulo isósceles ABC mostrado abaixo.

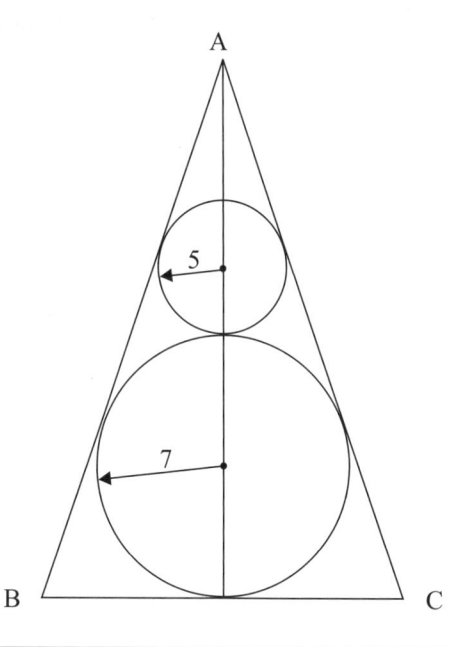

149 Calcule a área do triângulo isósceles ABC, dados AE = 4 cm, AD = 8 cm.

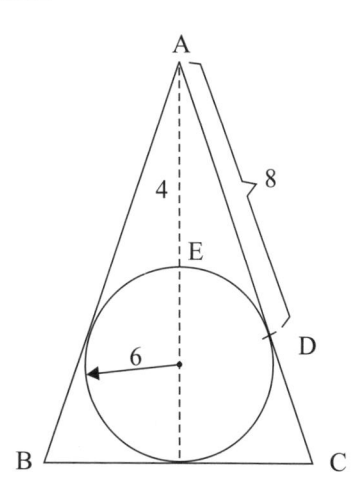

Resp: **143** a) 4   b) x = 5, y = 6   c) x = 4, y = 8   d) x = 8, y = 6   e) 20   f) 2   g) 5   h) 4

144 a) x = 4, y = 8   b) x = y = 8   c) x = 9, y = 7   d) 9

150 Determine o valor de x na figura abaixo:

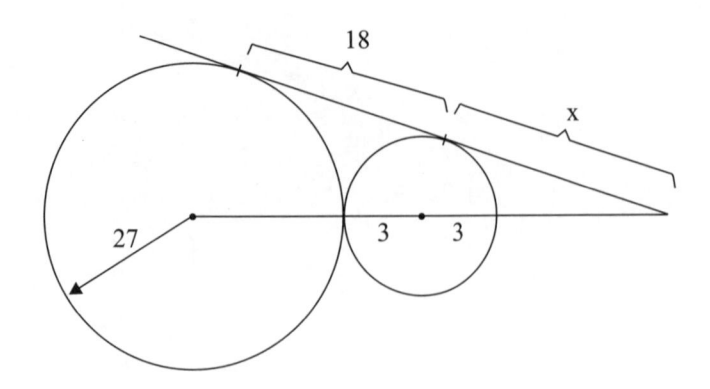

151 As figuras abaixo mostram retângulos inscritos em triângulos. Determine, em cada caso, o valor de x.

a)

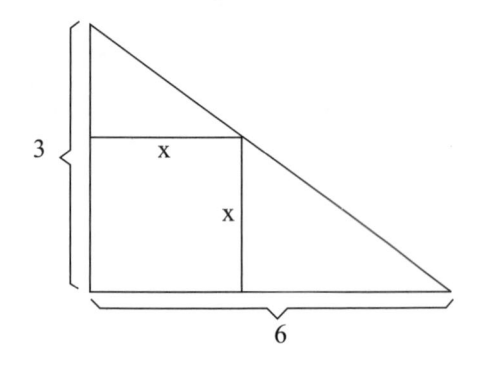

b)

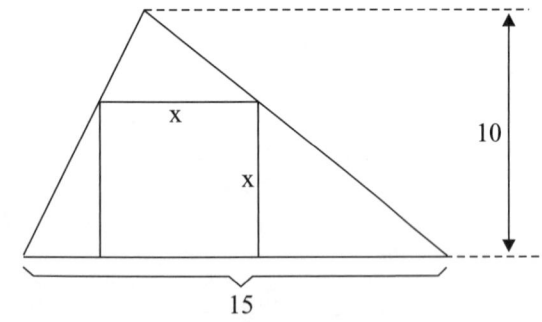

c)

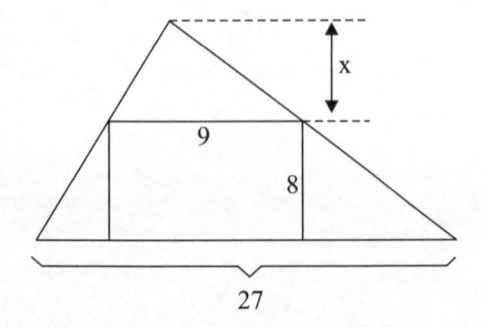

114

152 Calcule a medida do lado quadrado ABCD.

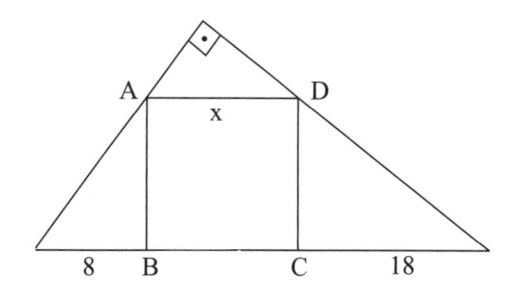

153 Dados: ABCD é retângulo, de lados AB = 12 cm e BC = 9 cm, M é o ponto médio de CD. Calcule EF.

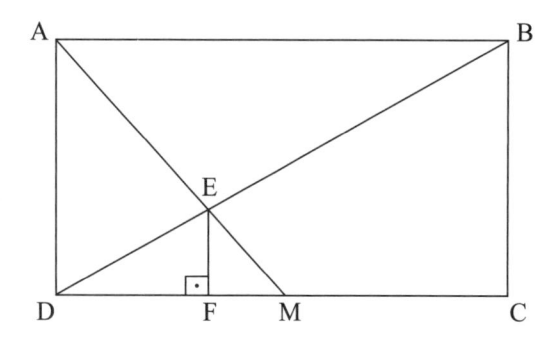

154 Calcule a medida da base $\overline{BC}$ do triângulo isósceles ABC.

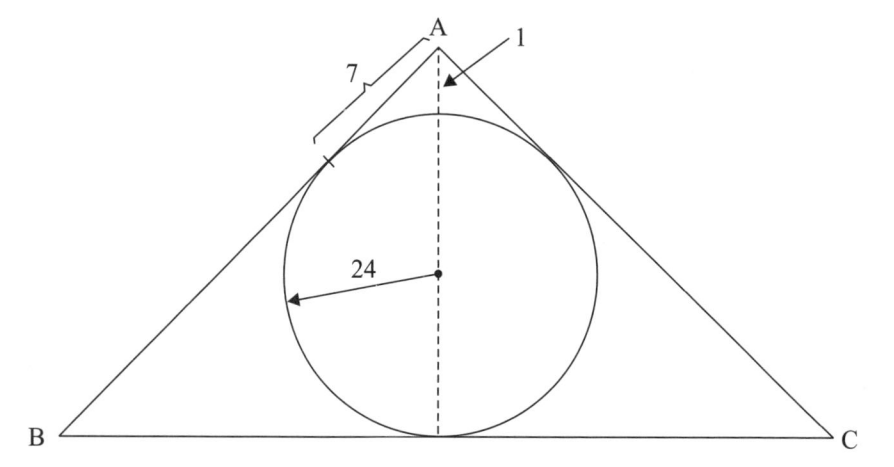

Resp: **144** e) 5   **145** a) 10   b) 6   **146** a) 12   b) 9   **147** x = 5, y = 7   **148** 49   **149** 192 cm²

155 Calcule x nos casos abaixo:

a)

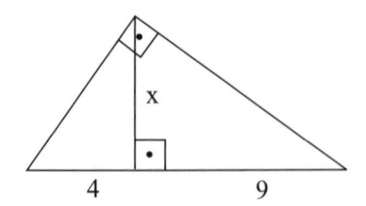

b)

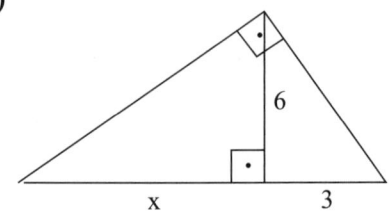

156 Expresse x em função de y e z.

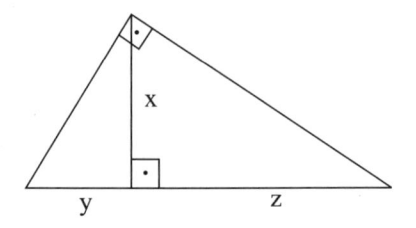

157 Calcule x na figura abaixo:

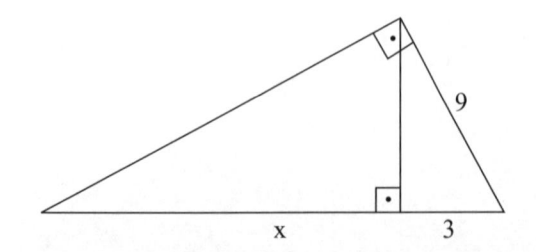

158 Na figura abaixo tem-se AB = BC = CD = DE = EF e $\overline{BG}$ // $\overline{CH}$ // $\overline{DI}$ // $\overline{EJ}$ // $\overline{FL}$. Calcule a soma das medidas desses segmentos paralelos.

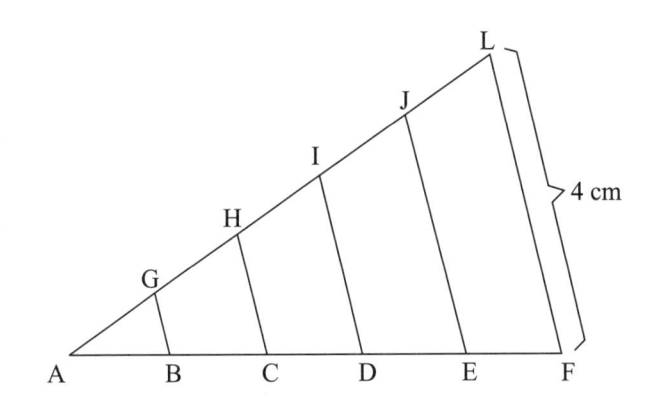

159 A figura mostra um quadrado de lado 12 cm e outro de lado 4 cm. Calcule x.

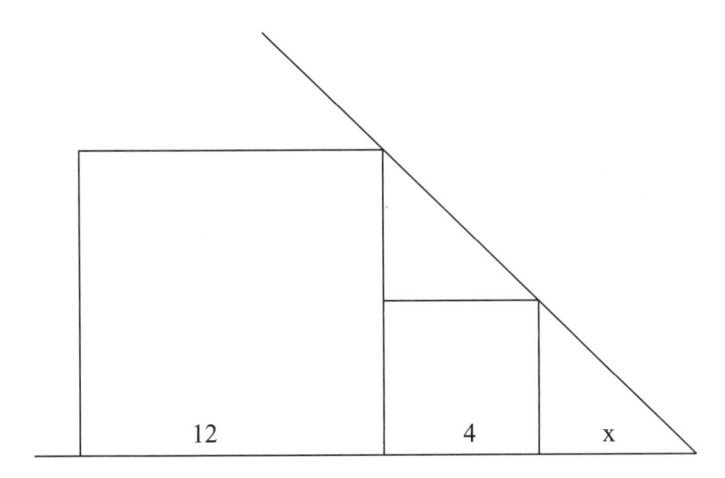

160 A figura mostra três quadrados. Calcule o lado menor.

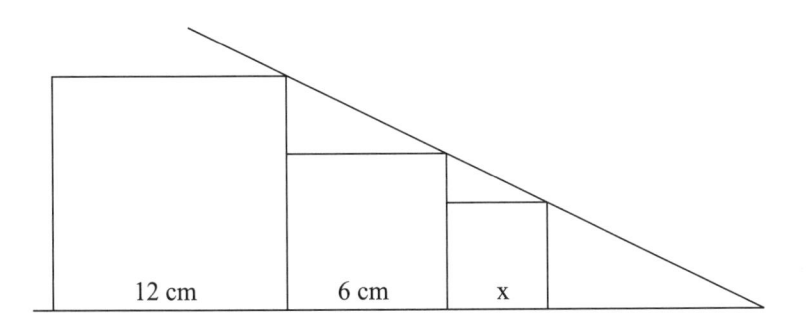

Resp: **150** $\frac{9}{4}$ **151** a) 2   b) 6   c) 4   **152** 12   **153** 3   **154** 336

117

161 Na figura abaixo, ABCD é trapézio, BCD é triângulo isósceles de base CD = 36 cm e AD̂B = BĈD. Calcule a medida da base AB.

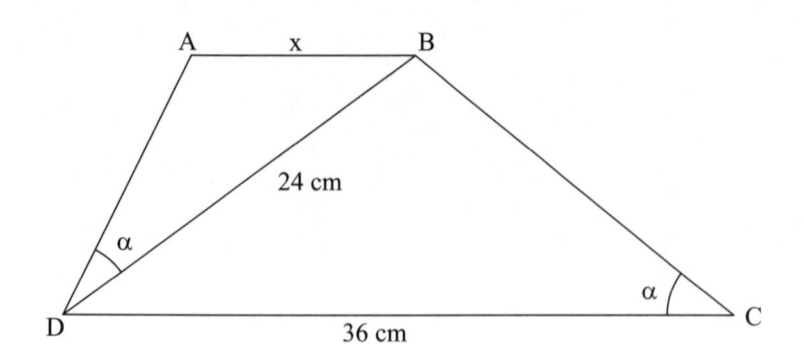

162 As bases de um trapézio ABCD medem 50 cm e 30 cm, e a altura 10 cm. Prolongam-se os lados não paralelos que se interceptam num ponto E. Determine a altura EF do triângulo ABE e a altura EG do triângulo CDE (vide figura).

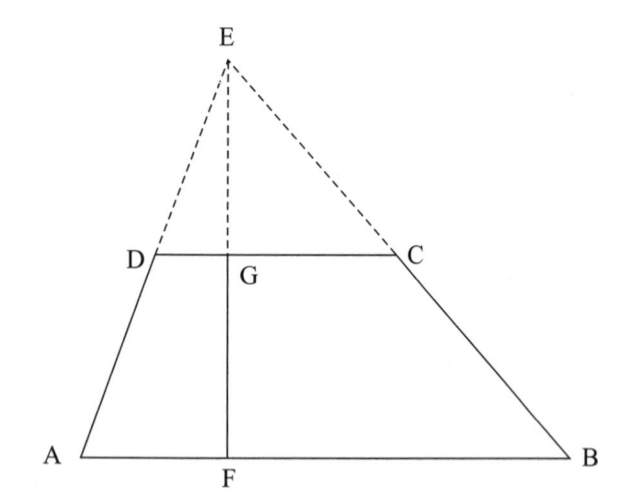

163 Determine os valores de x e y na figura:

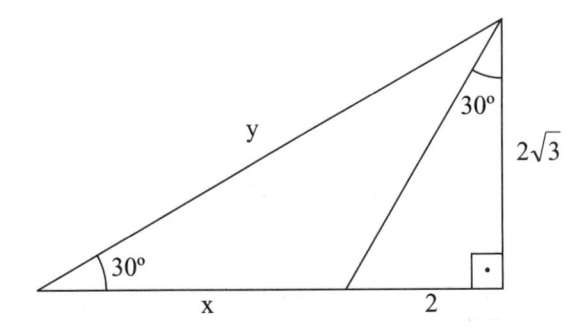

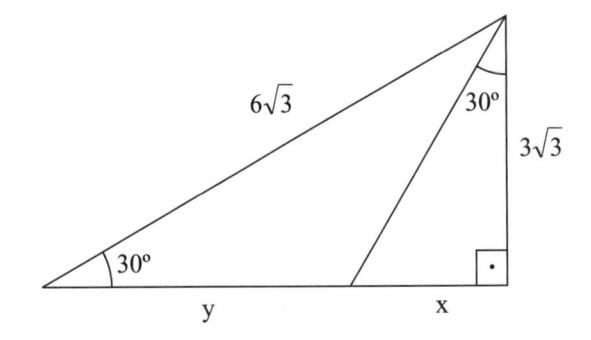

164 Calcule x e y.

165 Dados $\overline{DE}$ // $\overline{BC}$ e $\overline{FE}$ // $\overline{DC}$, AF = 4 cm e FD = 6 cm. Calcule DB.

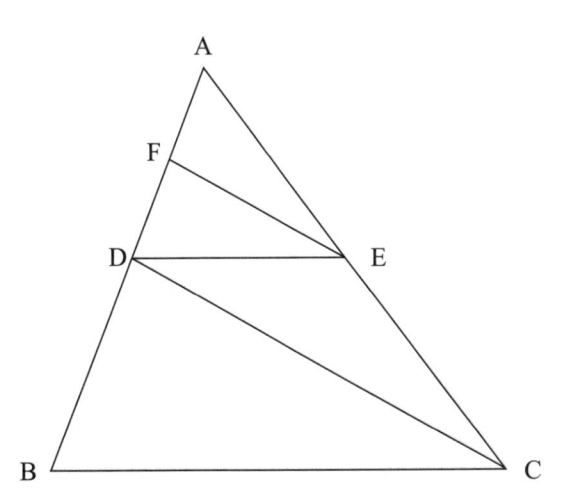

Resp: **155** a) 6 b) 12 **156** $x^2 = y \cdot z$ ou $x = \sqrt{y \cdot z}$ **157** 24 **158** 12 cm **159** 2 cm **160** 3cm

166 Determine o valor de x na figura abaixo:

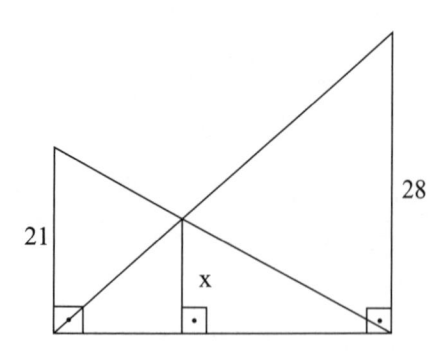

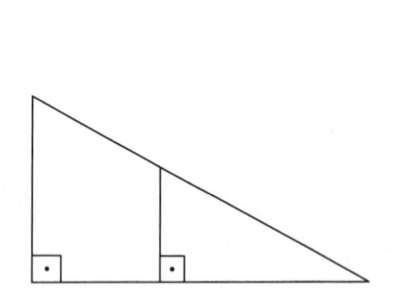

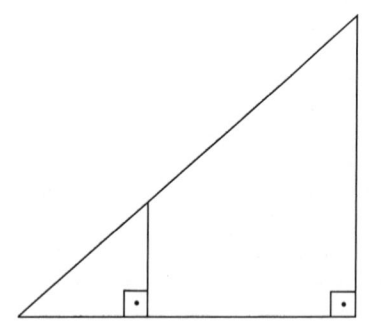

167 Na figura abaixo, tem-se $\overline{AB} \parallel \overline{CD} \parallel \overline{FE}$. Expresse **x** em função de **a** e **b**.

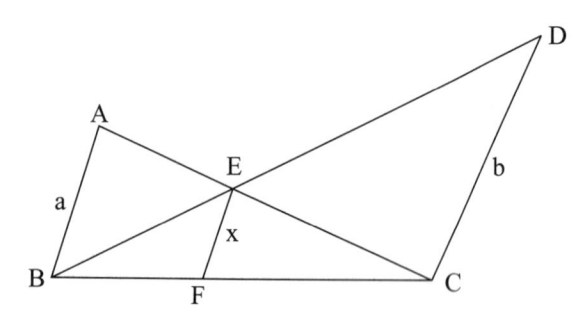

168 O segmento $\overline{PQ}$ abaixo é paralelo às bases do trapézio ABCD. Calcule a medida de PQ.

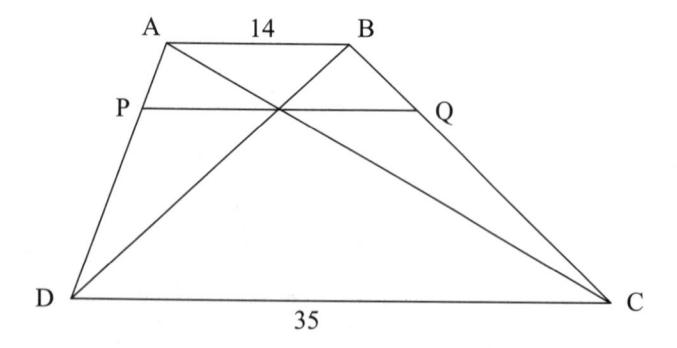

Resp: **161** 16 cm **162** EG = 15 cm, EF = 25 cm **163** x = 4, y = 4√3 **164** x = 3, y = 6
165 15 cm **166** 12 **167** $x = \dfrac{ab}{a+b}$ **168** 20

120

VI POTENCIAÇÃO

1 – Alguns subconjuntos do conjunto dos números reais (**R**).

Conjuntos dos números naturais (N)

N = {0, 1, 2, 3, 4, 5, 6, 7, 8, 9, 10, 11, ...}

Conjuntos dos naturais positivos

N* = {1, 2, 3, 4, ...} = N – {0}

(Alguns autores consideram este conjunto N* como conjunto dos naturais)

Conjunto dos números inteiros (Z)

Z = {..., – 11, – 10, – 9, ..., – 3, – 2, – 1, 0, 1, 2, 3, ..., 10, 11, ...}

Note que são inteiros

$\frac{6}{2} = 3$, $-\frac{8}{4} = -2$, $\sqrt{25} = 5$, $-\sqrt{36} = -6$, $\sqrt[3]{8} = 2$, $\sqrt[3]{-8} = -2$

Conjunto dos números primos

{± 2, ± 3, ± 5, ± 7, ± 11, ± 13, ± 17, ± 19, ± 23, ...}

Conjunto dos primos naturais

{2, 3, 5, 7, 11, 13, ...}

Conjunto dos números racionais (Q)

$Q = \left\{ x \mid x = \frac{a}{b}, a \in Z, b \in Z^* \right\}$

Exemplos de números racionais:

Os inteiros são racionais: $7 = \frac{7}{1}$, $-3 = -\frac{3}{1}$. Então: $Z \subset Q$

Os decimais exatos são racionais: $0,6 = \frac{6}{10} = \frac{3}{5}$; $1,5 = \frac{15}{10} = \frac{3}{2}$

Os decimais periódicos são racionais: $0,666... = 0,\overline{6} = \frac{6}{9} = \frac{2}{3}$

Conjunto dos números irracionais (R – Q)

$R - Q = \{x \mid x \in R \land x \notin Q\}$

Exemplos de números irracionais:

1) $\sqrt{2}, \sqrt{3}, \sqrt{5}, \sqrt{6}, \sqrt{7}, \sqrt{8} = 2\sqrt{2}, \sqrt{10}, \sqrt{11}, ...$

2) $\sqrt[3]{2}, \sqrt[3]{-2}, \sqrt[3]{3}, \sqrt[3]{-3}, ...$

3) $\sqrt[4]{2}, \sqrt[4]{3}, \sqrt[4]{4} = \sqrt{2}, \sqrt[4]{5}, ...$

4) $\pi = 3,14159...$ (Não é periódico)

5) $e = 2,718...$ (Número de Euler) (Não é periódico)

169 Decompondo o número maior em parcelas convenientes e aplicando a propriedade distributiva mentalmente, determinar os seguintes produtos.

Obs.: Olhar o item (a).

a) 5 · 17 = 5 · 10 + 5 · 7 = 85	b) 7 · 12 =
c) 8 · 15 =	d) 5 · 18 =
e) 8 · 17 =	f) 5 · 19 =
g) 6 · 18 =	h) 8 · 18 =
i) 6 · 32 =	j) 5 · 34 =
k) 8 · 23 =	l) 9 · 54 =

170 Escrever os números primos naturais que

a) são menores que 20 : {

b) estão entre 20 e 60 : {

171 Escrever os números primos que estão entre – 18 e 18.

172 Escrever os múltiplos positivos menores que 100 do número dado nos casos:

a) 12 : (

b) 13 : (

c) 14 : (

d) 15 : (

e) 16 : (

f) 17 : (

g) 18 : (

h) 19 : (

Múltiplos positivos menores que 200:

i) 23 : (

j) 29 : (

k) 31 : (

173 Cada número composto dado é o produto de dois números primos positivos. Escrever a multiplicação correspondente:

a) 15 =	21 =	14 =	22 =
b) 33 =	39 =	35 =	65 =
c) 26 =	46 =	34 =	38 =
d) 51 =	57 =	85 =	95 =
e) 91 =	119 =	133 =	143 =

174 Determinar os seguintes produtos:

a) $5 \cdot 13 =$	$7 \cdot 13 =$	$3 \cdot 17 =$	$5 \cdot 17 =$
b) $3 \cdot 19 =$	$5 \cdot 19 =$	$7 \cdot 19 =$	$7 \cdot 17 =$
c) $3 \cdot 23 =$	$5 \cdot 23 =$	$7 \cdot 23 =$	$11 \cdot 17 =$

175 Determinar os seguintes produtos:

a) $2 \cdot 2 \cdot 2 \cdot 2 \cdot 2 =$	$3 \cdot 3 \cdot 3 \cdot 3 \cdot 3 =$
b) $5 \cdot 5 \cdot 5 \cdot 5 =$	$5 \cdot 5 \cdot 5 \cdot 5 \cdot 5 =$
c) $7 \cdot 7 \cdot 7 =$	$3 \cdot 3 \cdot 3 \cdot 3 \cdot 3 \cdot 3 =$
d) $4 \cdot 4 \cdot 4 =$	$6 \cdot 6 \cdot 6 =$
e) $4 \cdot 4 \cdot 4 \cdot 4 =$	$6 \cdot 6 \cdot 6 \cdot 6 =$

176 Efetuar:

a) $4 \cdot 13 =$	$4 \cdot 17 =$	$4 \cdot 19 =$	$4 \cdot 21 =$
b) $9 \cdot 13 =$	$9 \cdot 17 =$	$9 \cdot 19 =$	$9 \cdot 21 =$
c) $16 \cdot 3 =$	$16 \cdot 5 =$	$16 \cdot 7 =$	$16 \cdot 11 =$
d) $25 \cdot 2 =$	$25 \cdot 3 =$	$25 \cdot 5 =$	$25 \cdot 7 =$
e) $36 \cdot 2 =$	$36 \cdot 3 =$	$36 \cdot 5 =$	$36 \cdot 7 =$
f) $2 \cdot 18 =$	$3 \cdot 18 =$	$4 \cdot 18 =$	$5 \cdot 18 =$
g) $2 \cdot 24 =$	$3 \cdot 24 =$	$4 \cdot 24 =$	$5 \cdot 24 =$
h) $4 \cdot 36 =$	$8 \cdot 18 =$	$9 \cdot 16 =$	$6 \cdot 24 =$
i) $4 \cdot 12 =$	$5 \cdot 12 =$	$6 \cdot 12 =$	$7 \cdot 12 =$
j) $4 \cdot 16 =$	$6 \cdot 16 =$	$8 \cdot 12 =$	$9 \cdot 12 =$
k) $8 \cdot 16 =$	$4 \cdot 15 =$	$5 \cdot 15 =$	$6 \cdot 15 =$

2 – Potência

Definição

Para $n \in \mathbb{N}$ e $a \in \mathbb{R}^*$, define-se:

$$\begin{cases} a^0 = 1 \\ a^{n+1} = a^n \cdot a \end{cases}$$

Para $a = 0$ e $n \in \mathbb{N}^*$, $0^n = 0$

Consequências da definição

$a^1 = a$

$a^n = \underbrace{a \cdot a \cdot a \cdot \ldots a}_{n \text{ fatores}}$ $(n > 1)$ $\qquad a^n =$ potência de base **a** e expoente **n**

Para $a \in \mathbb{R}^*$ e $n \in \mathbb{N}$, define-se: $a^{-n} = \dfrac{1}{a^n}$

Exemplos:

1) $5^0 = 1$, $5^1 = 5$, $5^2 = 5 \cdot 5 = 25$, $5^3 = 5 \cdot 5 \cdot 5 = 125$, $5^4 = 5 \cdot 5 \cdot 5 \cdot 5 = 625$

2) $(-147)^0 = 1$, $\left(\dfrac{2}{3}\right)^1 = \dfrac{2}{3}$, $(-3)^1 = -3$, $(-3)^2 = (-3)(-3) = 9$

3) $(-2)^3 = (-2)(-2)(-2) = -8$, $(-2)^4 = (-2)(-2)(-2)(-2) = 16$

4) $-5^2 = -(5^2) = -(5 \cdot 5) = -25$, $-7^2 = -(7 \cdot 7) = -49$, $-1^{20} = -1$, $(-1)^{20} = 1$

5) $\left(-\dfrac{2}{3}\right)^3 = \left(-\dfrac{2}{3}\right)\left(-\dfrac{2}{3}\right)\left(-\dfrac{2}{3}\right) = -\dfrac{8}{27}$, $3^{-2} = \dfrac{1}{3^2} = \dfrac{1}{9}$, $\dfrac{1}{7^{-2}} = 7^2 = 49$

6) $-3^{-2} = -(3^{-2}) = -\dfrac{1}{3^2} = -\dfrac{1}{9}$, $(-3)^{-2} = \dfrac{1}{(-3)^2} = \dfrac{1}{9}$, $(-3)^{-3} = \dfrac{1}{(-3)^3} = \dfrac{1}{-27} = -\dfrac{1}{27}$

177 Determinar as potências:

a) $7^0 =$	$8^1 =$	$2^3 =$	$5^3 =$
b) $10^3 =$	$11^2 =$	$(-8)^2 =$	$(-9)^2 =$
c) $-6^2 =$	$(-6)^2 =$	$(-1)^7 =$	$(-1)^8 =$
d) $2^{-2} =$	$3^{-2} =$	$5^{-2} =$	$2^{-3} =$
e) $\left(\dfrac{3}{4}\right)^2 =$	$\left(-\dfrac{5}{7}\right)^2 =$	$\left(\dfrac{4}{9}\right)^2 =$	$\left(-\dfrac{3}{5}\right)^3 =$
f) $(-5)^2 =$	$(-5)^3 =$	$-5^2 =$	$-5^3 =$
g) $-2^{-4} =$	$(-2)^{-4} =$	$-3^{-4} =$	$(-3)^{-4} =$
h) $-1^{-20} =$	$-5^{-3} =$	$(-6)^{-3} =$	$(-5)^{-4} =$

3 – Potenciação (Propriedades)

Se os números em questão satisfazem as condições da definição, tem-se:

$$a^m \cdot a^n = a^{m+n} \qquad a^m \cdot a^n \cdot a^p = a^{m+n+p}$$

$$a^m : a^n = a^{m-n} \qquad \frac{a^m}{a^n} = a^{m-n}$$

$$(a^n)^m = a^{n \cdot m}$$

$$(a \cdot b)^n = a^n \cdot b^n \qquad (a \cdot b \cdot c)^n = a^n \cdot b^n \cdot c^n$$

$$\left(\frac{a}{b}\right)^n = \frac{a^n}{b^n} \qquad \left(\frac{a}{b}\right)^{-n} = \left(\frac{b}{a}\right)^n$$

Exemplos:

1) $5^7 \cdot 5^3 = 5^{7+3} = 5^{10}$, $5^{-8} \cdot 5^{15} = 5^{-8+15} = 5^7$, $a^6 \cdot a^{-2} = a^{6+(-2)} = a^{6-2} = a^4$

2) $7^{-3} \cdot 7^{-4} = 7^{-3+(-4)} = 7^{-3-4} = 7^{-7} = \frac{1}{7^7}$, $a^5 \cdot a^{-7} = a^{5+(-7)} = a^{-2} = \frac{1}{a^2}$

3) $5^7 : 5^2 = 5^{7-2} = 5^5$, $a^6 : a^{-2} = a^{6-(-2)} = a^8$, $x^{-5} : x^{-8} = x^{-5-(-8)} = x^3$

4) $(5^3)^7 = 5^{3 \cdot 7} = 5^{21}$, $(a^3 b^4)^2 = (a^3)^2 \cdot (b^4)^2 = a^6 \cdot b^8$

5) $\left(\frac{a^2}{b^3}\right)^5 = \frac{(a^2)^5}{(b^3)^5} = \frac{a^{10}}{b^{15}}$, $\left(\frac{3}{2}\right)^{-4} = \left(\frac{2}{3}\right)^4 = \frac{16}{81}$, $\left(-\frac{19}{11}\right)^{-2} = \left(-\frac{11}{19}\right)^2 = \frac{121}{361}$

6) $(a^4)^2 = a^{4 \cdot 2} = a^8$, $(a^2)^5 = a^{2 \cdot 5} = a^{10}$, $[(a^3)^2]^5 = a^{3 \cdot 2 \cdot 5} = a^{30}$

7) $a^{4^2} = a^{(4^2)} = a^{16}$, $a^{2^5} = a^{(2^5)} = a^{32}$

8) $(0,3)^2 = 0,09$, $(-0,5)^4 = 0,0625$

9) $\left(-\frac{3}{5}\right)^{-3} = \left(-\frac{5}{3}\right)^3 = \left(-\frac{5}{3}\right)\left(-\frac{5}{3}\right)\left(-\frac{5}{3}\right) = -\frac{125}{27}$, $\left(\frac{b^{-2}}{a^{-1}}\right)^{2^3} = \left(\frac{a}{b^2}\right)^{(2^3)} = \left(\frac{a}{b^2}\right)^8 = \frac{a^8}{b^{16}}$

10º) $(-3a^2b^3)(-2a^3b) = 6a^5b^4$, $(-2a^2b)(-3ab^3)(4a^2b^5) = 24a^5b^9$

11º) $(-12a^5b^3c) : (-3a^2bc) = 4a^3b^2$, $(-51a^7b^5c) : (3a^2b^{-1}) = -17a^5b^6c$

12º) $3a^2b (2a^3 - 3a^2b + ab^2) = 6a^5b - 9a^4b^2 + 3a^3b^3$

Resp: **169** a) 85 b) 84 c) 120 d) 90 e) 136 f) 95 g) 108 h) 144 i) 192 j) 170 k) 184 l) 486

170 a) {2, 3, 5, 7, 11, 13, 17, 19} b) {23, 29, 31, 37, 41, 43, 47, 53, 59} **171** {± 2, ± 3, ± 5, ± 7, ± 11, ± 13, ± 17}

172 a) (12, 24, 36, 48, 60, 72, 84, 96) b) (13, 26, 39, 52, 65, 78, 91) c) (14, 28, 42, 56, 70, 84, 98) d) (15, 30, 45, 60, 75, 90)
e) (16, 32, 48, 64, 80, 96) f) (17, 34, 51, 68, 85) g) (18, 36, 54, 72, 90) h) (19, 38, 57, 76, 95)
i) (23, 46, 69, 92, 115, 138, 161, 184) j) (29, 58, 87, 116, 145, 174) k) (31, 62, 93, 124, 155, 186)

173 a) 3·5, 3·7, 2·7, 2·11 b) 3·11, 3·13, 5·7, 5·13 c) 2·13, 2·23, 2·17, 2·19 d) 3·17, 3·19, 5·17, 5·19
e) 7·13, 7·17, 7·19, 11·13 **174** a) 65, 91, 51, 85 b) 57, 95, 133, 119 c) 69, 115, 161, 187

175 a) 32, 243 b) 625, 3125 c) 343, 729 d) 64, 216 e) 256, 1296 **176** a) 52, 68, 76, 84
b) 117, 153, 171, 189 c) 48, 80, 112, 176 d) 50, 75, 125, 175 e) 72, 108, 180, 252
f) 36, 54, 72, 80 g) 48, 72, 96, 120 h) 144, 144, 144, 144
i) 48, 60, 72, 84 j) 64, 96, 96, 108 k) 128, 60, 75, 90

178 De acordo com as propriedades, simplificar as expressões:

a) $5^5 \cdot 5^3 =$	$a^3 \cdot a^7 \cdot a =$	$a \cdot a^3 \cdot a^5 =$
b) $a^{-1} \cdot a^7 =$	$a^{-3} \cdot a^{-4}$	$a^9 \cdot a^{-2}$
c) $a^7 : a^2 =$	$a^2 : a^7 =$	$a^{-5} : a^2 =$
d) $a^5 : a^{-2} =$	$a^{-5} : a^{-2} =$	$a^{-2} : a^{-5} =$
e) $(a^9 : a^2) : a^3$	$a^{12} : (a^3 : a^{-2})$	$a^{-2} : (a^3 : a^9)$
f) $(a^{10} \cdot a^{-3}) : a^{-2}$	$(a^{-5} \cdot a^6) : a^{-4}$	$a^{-9} : (a^7 : a^{-2})$

179 Simplificar:

a) $(a^3)^4 =$	$(a^{-2})^{-4} =$	$((a^2)^3)^4 =$
b) $(a^2 \cdot b^3)^4 =$	$(a^3 \cdot b^{-2})^3 =$	$(a^{-5} \cdot b^6)^2 =$
c) $\left(\dfrac{a^2}{b^3}\right)^4 =$	$\left(\dfrac{a^3}{b^2}\right)^{-2} =$	$\left(\dfrac{a^{-3}}{b^{-2}}\right)^2 =$
d) $(a^5)^2 =$	$a^{5^2} =$	$a^{2^5} =$
e) $a^{4^2} : (a^4)^2 =$	$a^{3^4} : a^{4^3} =$	$(a^5)^3 : a^{5^3} =$

180 Simplificar as expressões:

a) $2a^2(3a^3b)(4ab^2)$	b) $-2a^3b^2c(-3a^2b^2c^3)(abc)$
c) $(16a^7b^5) : (2a^5b)$	d) $-81a^{-5}b^3 : (-27a^{-7}b^{-2})$
e) $(48a^5b^2) : (16a^2b)$	f) $(-81a^6b^3c) : (-27a^5b^2c)$
g) $3ab(2a^2b - 3ab^2)$	h) $(12x^6y^4 - 18x^5y^3) : (6x^3y)$
i) $[a^3b^4c^5 : (a^2b^3)] : (a^{-2}b^{-1}c)$	j) $(a^{-3}b^5) : [a^{-3}bc : (ab^2c^3)]$

181 Decompor em fatores primos e dar a resposta na forma de potências cujas bases são primos:

a) 180

b) 900

c) 1080

d) 392

182 Escrever como potências cujas bases são primos:

a) $(2^5 \cdot 3^2)^2 \cdot (2^3 \cdot 3^4)^3 =$

b) $(2^{-3} \cdot 3^{-2})^2 \cdot (2^4 \cdot 3^3)^3 =$

c) $(4 \cdot 9 \cdot 25)^2 (49)^3 =$

d) $4^2 \cdot 8^3 \cdot 16^2 \cdot 32^3 =$

e) $(4^2 \cdot 9^3)^2 : (81^3 \cdot 8^2)^4 =$

f) $\dfrac{125^{-3} : 27^{-2}}{25^6 : 81^3} =$

g) $10^2 \cdot 100^3 \cdot 1000^4 \cdot 10000^5$

h) $(343^2 \cdot 243^3) : (49^{-2} \cdot 81^{-3})$

i) $[(128)^{-3} \cdot (1024)^3] : 256^{-3}$

j) $(625^3 \cdot 27^{-3}) : (25^{-3} : 81^{-2})$

Resp: **177** a) 1, 8, 8, 125 b) 100, 121, 64, 81 c) –36, 36, –1, 1, d) $\frac{1}{4}, \frac{1}{9}, \frac{1}{25}, \frac{1}{8}$ e) $\frac{9}{16}, \frac{25}{49}, \frac{16}{81}, -\frac{27}{125}$

f) 25, –125, –25, –125   g) $-\frac{1}{16}, \frac{1}{16}, -\frac{1}{81}, \frac{1}{81}$ h) $-1, -\frac{1}{125}, -\frac{1}{216}, \frac{1}{625}$

183 Escrever na forma de número decimal a fração decimal dada, nos casos:

a) $\dfrac{7}{10} =$ $\dfrac{13}{10} =$ $\dfrac{9}{100} =$

b) $\dfrac{17}{100} =$ $\dfrac{3}{1000} =$ $\dfrac{13}{10000} =$

c) $\dfrac{1}{10} =$ $\dfrac{1}{100} =$ $\dfrac{1}{10000} =$

184 Escrever na forma de fração decimal o número decimal dado, nos casos:

a) $0,3 =$ $0,07 =$ $1,53 =$

b) $0,15 =$ $0,015 =$ $0,0015 =$

c) $12,6 =$ $0,126 =$ $0,0125 =$

185 Escrever na forma de fração ordinária, simplificando ao máximo:

a) $0,8 =$ $0,25 =$

b) $0,36 =$ $0,75 =$

c) $0,125 =$ $0,0625 =$

186 Transformar em número decimal:

a) $\dfrac{3}{5} =$ $\dfrac{7}{20} =$

b) $\dfrac{17}{50} =$ $\dfrac{19}{25} =$

c) $\dfrac{19}{125} =$ $\dfrac{9}{125} =$

d) $\dfrac{3}{4} =$ $\dfrac{3}{8} =$

e) $\dfrac{5}{16} =$ $\dfrac{3}{40} =$

187 Efetuar (dar a resposta na forma de número decimal):

a) $0,325 + 7,68$ $12,61 + 0,99 =$ b) $13,47 - 0,293$ $2,31 - 1,982$

188 Determinar:

a) $(0,5) \cdot (0,7) =$

b) $0,2 \cdot (0,19) =$

c) $5 \cdot (0,25) =$

$0,3 \cdot (0,12) =$

$0,4 \cdot (0,013) =$

$6 \cdot (0,36) =$

189 Determinar (olhar o exemplo):

a) $(3,6) \div 3 =$

$\dfrac{3,6}{3,0} = \dfrac{36}{30} = \dfrac{12}{10} = 1,2$

$4,8 \div 4 =$

b) $0,48 \div 8 =$

$0,48 \div 0,6 =$

c) $0,54 \div 1,8 =$

$0,54 \div 0,18 =$

d) $0,54 \div 18 =$

$0,051 \div 0,17 =$

e) $5,1 \div 17 =$

$0,91 \div 0,13 =$

f) $9,1 \div 13 =$

$9,1 \div 1,3 =$

g) $0,108 \div 3,6 =$

$0,8 \div 0,2 =$

h) $0,057 \div 0,19 =$

$0,0057 \div 0,3 =$

i) $0,119 \div 7 =$

$1,19 \div 1,7 =$

Resp: **178** a) $5^8, a^{11}, a^9$ b) a^6, a^{-7}, a^7 c) a^5, a^{-5}, a^{-7} d) a^7, a^{-3}, a^3 e) a^4, a^7, a^4 f) a^9, a^5, a^{-18}

179 a) a^{12}, a^8, a^{24} b) $a^8 \cdot b^{12}, a^9 \cdot b^{-6}, a^{-10} \cdot b^{12}$ c) $\dfrac{a^8}{b^{12}} = a^8 \cdot b^{-12}, \dfrac{b^4}{a^6} = b^4 \cdot a^{-6}, \dfrac{b^4}{a^6} = b^4 \cdot a^{-6}$ d) a^{10}, a^{25}, a^{32} e) a^8, a^{17}, a^{-110}

180 a) $24a^6b^3$ b) $6a^6b^5c^5$ c) $8a^2b^4$ d) $3a^2b^5$ e) $3a^3b$ f) $3ab$ g) $6a^3b^2 - 9a^2b^3$ h) $2x^3y^3 - 3x^2y^2$ i) $a^3b^2c^4$ j) ab^6c^2

181 a) $2^2 \cdot 3^2 \cdot 5$ b) $2^2 \cdot 3^2 \cdot 5^2$ c) $2^3 \cdot 3^3 \cdot 5$ d) $2^3 \cdot 7^2$ **182** a) $2^{19} \cdot 3^{16}$ b) $2^6 \cdot 3^5$ c) $2^4 \cdot 3^4 \cdot 5^4 \cdot 7^6$ d) 2^{36}

e) $2^{-16} \cdot 3^{-36}$ f) $3^{18} \cdot 5^{-21}$ g) $2^{40} \cdot 5^{40}$ h) $3^{27} \cdot 7^{10}$ i) 2^{33} j) $3^{-17} \cdot 5^{18}$

190 Determinar:

a) $0,0042 \cdot 1000 =$ | $0,0327 \cdot 100 =$

b) $0,00123 \cdot 10000 =$ | $0,00043 \cdot 100000 =$

c) $372,4 \div 100 =$ | $5200 \div 1000 =$

d) $3,2 \div 1000 =$ | $0,13 \div 10 =$

191 Escrever na forma de potência de base 10:

a) $100 =$ | $1000 =$ | $1 =$

b) $10000 =$ | $100000 =$ | $1\,000\,000 =$

192 Escrever na forma de potência de base 10:

a) $\dfrac{1}{10^2} =$ | $\dfrac{1}{10^5} =$ | $\dfrac{1}{10} =$

b) $\dfrac{1}{10^{-3}} =$ | $\dfrac{1}{10^{-1}} =$ | $\dfrac{1}{10^{-8}} =$

c) $\dfrac{1}{100} =$ | $\dfrac{1}{1000} =$ | $\dfrac{1}{10000} =$

d) $0,001 =$ | $0,01 =$ | $0,1 =$

193 Escrever na forma de potência de base 10:

a) $\dfrac{1}{0,001} =$ | $\dfrac{1}{0,01} =$

b) $\dfrac{1}{0,0001} =$ | $\dfrac{1}{0,1} =$

194 Escrever como potência de base 10:

a) $\left[10^4 (0,01)^{-3} \cdot \left(\dfrac{1}{0,01}\right)^{-8} \cdot \dfrac{0,01}{10^{-5}} \right] \div \left[\dfrac{10^{-5}}{0,0001} \cdot \left(\dfrac{0,01}{10^{-3}}\right)^{-4} \right]$

195 Multiplicar por uma potência de base 10, tornando a sentença verdadeira, nos casos:

a) $50000 = 5 \cdot$ $1200 = 1,2 \cdot$

b) $0,0007 = 7 \cdot$ $0,0345 = 3,45 \cdot$

c) $0,00632 = 6,32 \cdot$ $6320000 = 6,32 \cdot$

d) $1250000 = 1,25 \cdot$ $0,00125 = 1,25 \cdot$

196 Escrever na forma de multiplicação de um número inteiro não múltiplo de 10 por uma potência de base 10 o número dado, nos casos:

a) $500000 =$ $630000000 =$

b) $0,000021 =$ $0,001035 =$

c) $305000 =$ $21000000 =$

d) $0,001052 =$ $0,0000103 =$

e) $0,0007 \cdot 10^8 =$ $0,0071 \cdot 10^{-5} =$

f) $130000 \cdot 10^{20} =$ $120000 \cdot 10^{-8} =$

197 Escrever como multiplicação de um número, com um número não nulo de apenas um algarismo à esquerda da vírgula, por uma potência de base 10, o número dado, nos casos:

a) $234000 =$ $314000000000 =$

b) $0,000000347 =$ $0,000000000125 =$

c) $345000 \cdot 10^7 =$ $61234000000 \cdot 10^{-5} =$

d) $0,000000002 \cdot 10^{12} =$ $0,00000013 \cdot 10^{-6} =$

e) $51200000 \cdot 10^{-20} =$ $0,000000122 \cdot 10^{12} =$

f) $113\,000\,000 : 10^5 =$ $278000000000 : 10^{-4} =$

g) $0,00000000314 : 10^6 =$ $0,0000000027 : 10^{-20} =$

Resp: **183** a) 0,7 ; 1,3 ; 0,09   b) 0,17 ; 0,003 ; 0,0013   c) 0,1 ; 0,01 ; 0,0001   **184** a) $\frac{3}{10}, \frac{7}{100}, \frac{153}{100}$ b) $\frac{15}{100}, \frac{15}{1000}, \frac{15}{10000}$ c) $\frac{126}{10}, \frac{126}{1000}, \frac{125}{10000}$ **185** a) $\frac{4}{5}, \frac{1}{4}$ b) $\frac{9}{25}, \frac{3}{4}$ c) $\frac{1}{8}, \frac{1}{16}$ **186** a) 0,6 ; 0,35   b) 0,34 ; 0,76   c) 0,152 ; 0,072   d) 0,75 ; 0,375   e) 0,3125 ; 0,075   **187** a) 8,005 ; 13,6   b) 13,177 ; 0,328   **188** a) 0,35 ; 0,036   b) 0,038 ; 0,0052   c) 1,25 ; 2,16   **189** a) 1,2 ; 1,2   b) 0,06 ; 0,8   c) 0,3 ; 3   d) 0,03 ; 0,3   e) 0,3 ; 7   f) 0,7 ; 7   g) 0,03 ; 4   h) 0,3 ; 0,019   i) 0,017 ; 0,7

198 Simplificar, dando a resposta na forma de potência de base 10.

a) $\dfrac{100^3 \cdot (-0,1)^{-3} \cdot (-0,001)^{-4} \cdot [-(-1000)^3]}{-0,01^6 \cdot (-10000)^{-5}}$

b) $\dfrac{(10^{-5} : 2^{-4})^2 : (5^{-3} : 10^{-2})^3}{[(-2)^{-3} \cdot (-10)^2] : 5^2}$

c) $\dfrac{\left[\dfrac{1}{0,001^{-2}} \cdot 0,1^2\right] : \dfrac{1}{10}}{[0,001^3 : 100^{-2}] : \dfrac{1}{0,01^2}}$

d) $\left\{\left[\dfrac{(-100^2)^{3^2}}{(-0,01)^{(-3)^3}} : (-0,1^{(-3)2})^2\right] : 0,001^{-2^2}\right\} : \left(\dfrac{1}{1000^{-4}}\right)^{-1}$

199 Simplificar:

a) $x = (-128^2)^{3^2} \cdot (-64^2)^{(-3)^2} \cdot (512^3)^{-3^2}$

b) $y = [(0,125^{-2})^3 \cdot (0,0625^{-1})^2]^2 : (0,25)^{-2}$

c) $z = (0,0625)^{\frac{1}{4}} : [(-0,125)^6 \cdot (-1024)^{-2} \cdot (0,485^3)^0]^{-2}$

200 Simplificar:

a) $\dfrac{(-2^2)^3 \cdot \left(16^{\frac{1}{3}}\right)^{-3^2} \cdot [(-32)^2]^{\frac{1}{5}} \cdot (-1024)^{-7}}{(0,0625^{-2})^{\frac{1}{2}} \cdot (-8^2)^3 \cdot (0,125^{2^3})^{2^2}}$

b) $\dfrac{(-2^3)^2 \cdot (16^3)^{\frac{1}{2}} \cdot [(-64)^{10}]^{\frac{1}{2}}}{(0,0625^{-1})^4 \cdot (-32^2)^3 \cdot (-4)^{-1}}$

201 Efetuar as operações e dar como resposta um número com um algarismo não nulo antes da vírgula, multiplicado por uma potência de base 10.

a) $1002 \cdot 10^{-1} + 32 \cdot 10^{-5}$

b) $25 - 12 \cdot 10^{-3}$

c) $5 \cdot 10^{40} + 9 \cdot 10^{42}$

d) $62 \cdot 10^{-25} + 104 \cdot 10^{-27}$

e) $9,43 \cdot 10^{-13} - 0,0001025 \cdot 10^{-8}$

f) $(0,0809 \cdot 10^{32})(0,37 \cdot 10^{45})$

g) $(1,311 \cdot 10^{-41}) : (5700 \cdot 10^{-30})$

202 Simplificar:

$\dfrac{10 \cdot 0,01 + 0,2 \cdot 10^{-3}}{0,005} - \dfrac{4 \cdot 10^{-3} \cdot 3 \cdot 10^{-5}}{0,0005 \cdot 10^{-3}}$

Resp: **190** a) 4,2 ; 3,27   b) 12,3 ; 43   c) 3,724 ; 5,2   d) 0,0032 ; 0,013   **191** a) $10^2, 10^3, 10^0$ b) $10^4, 10^5, 10^6$

192 a) $10^{-2}, 10^{-5}, 10^{-1}$ b) $10^3, 10, 10^8$ c) $10^{-2}, 10^{-3}, 10^{-4}$ d) $10^{-3}, 10^{-2}, 10^{-1}$ **193** a) $10^3, 10^2$ b) $10^4, 10$

194 10^2 **195** a) $10^4, 10^3$ b) $10^{-4}, 10^{-2}$ c) $10^{-3}, 10^6$ d) $10^6, 10^{-3}$ **196** a) $5 \cdot 10^5, 63 \cdot 10^7$

b) $21 \cdot 10^{-6}, 1035 \cdot 10^{-6}$ c) $305 \cdot 10^3, 21 \cdot 10^6$ d) $1052 \cdot 10^{-6}, 103 \cdot 10^{-7}$ e) $7 \cdot 10^4, 71 \cdot 10^{-9}$ f) $13 \cdot 10^{24}, 12 \cdot 10^{-4}$

197 a) $2,34 \cdot 10^5 ; 3,14 \cdot 10^{11}$ b) $3,47 \cdot 10^{-7} ; 1,25 \cdot 10^{-10}$ c) $3,45 \cdot 10^{12} ; 6,1234 \cdot 10^5$ d) $2 \cdot 10^3 ; 1,3 \cdot 10^{-13}$

e) $5,12 \cdot 10^{-13} ; 1,22 \cdot 10^5$ f) $1,13 \cdot 10^3 ; 2,78 \cdot 10^{15}$ g) $3,14 \cdot 10^{-15} ; 2,7 \cdot 10^{11}$

198 a) -10^{62} b) -10^{-7} c) 10^2 d) 10^0 **199** a) 2^{-9} b) 2^{48} c) 2^{-77} **200** a) -1 b) $\dfrac{1}{4}$

201 a) $1,0020032 \cdot 10^2$ b) $2,4988 \cdot 10$ c) $9,05 \cdot 10^{42}$ d) $6,304 \cdot 10^{-24}$ e) $-8,2 \cdot 10^{-14}$ f) $2,9933 \cdot 10^{75}$

g) $2,3 \cdot 10^{-15}$ **202** $\dfrac{99}{5}$

132